Page 146 Moss Your City

Page 77 Pastificio Lu

Page 94 Omega Garden

Page 136 Insect Hotel

Page 193 Bouquet IX

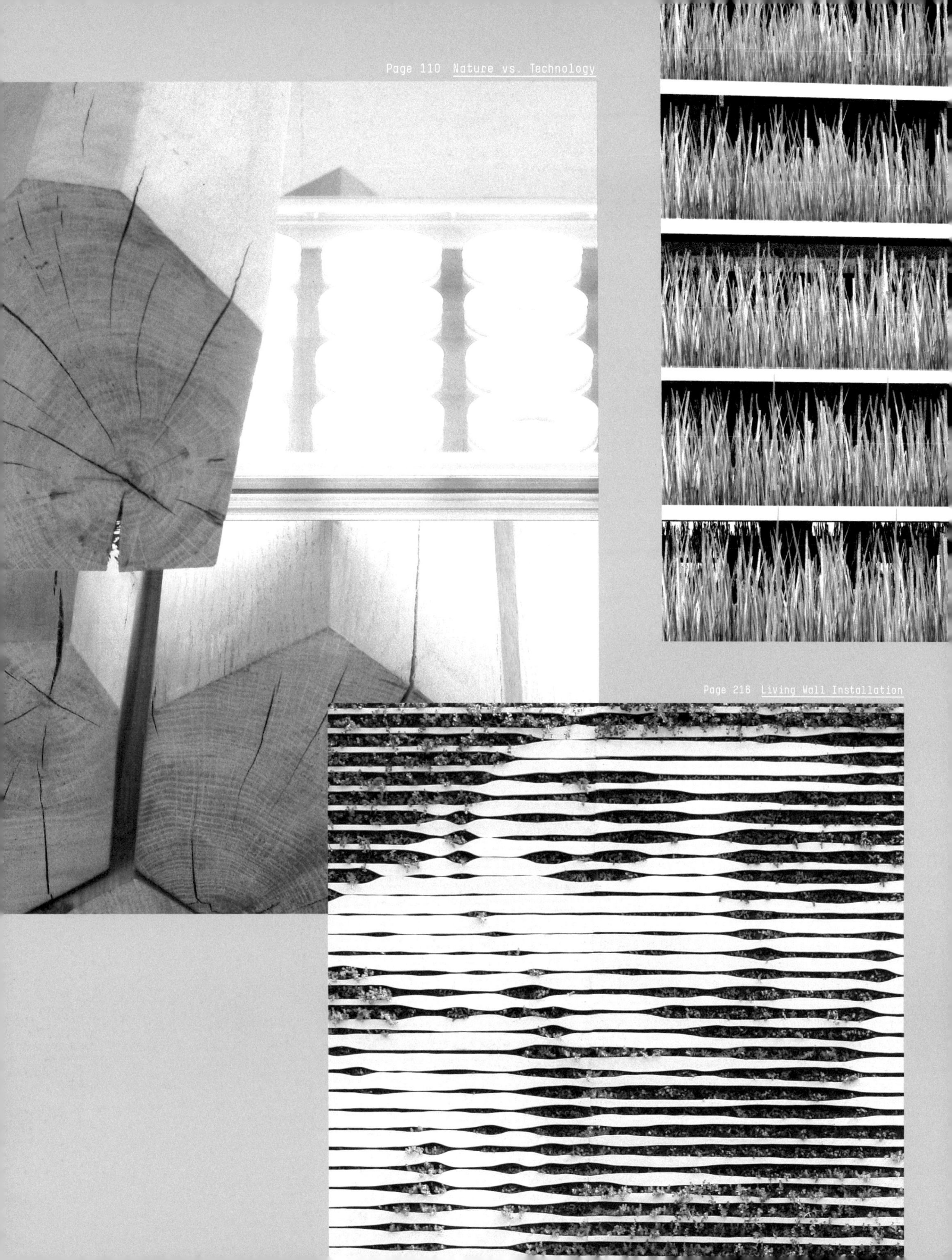
Page 110 Nature vs. Technology
Page 216 Living Wall Installation

Page 191 Vintage Plant Shop

Page 121 Shinjuku Gardens

Page 200 Paranoid Bush

Page 172 String Gardens

Page 152 Pavillon britannique de l'Expo Shanghai 2010

Page 224 Mobile Garden

MA VILLE EN VERT

Pour un retour de la nature au cœur de la cité

 Thames & Hudson

The Union Street Urban Orchard
Photo: Mike Massaro

The Union Street Urban Orchard

A l'occasion du London Festival of Architecture, puis durant tout l'automne 2010, un terrain abandonné du quartier de Bankside à Londres situé au niveau du 100 Union Street fut transformé en verger urbain et jardin collectif. Conçu par Heather Ring du Wayward Plant Registry pour l'Architecture Foundation et réalisé avec le soutien du Bankside Open Spaces Trust et d'une équipe de bénévoles, le jardin fit revivre ce lieu oublié et devint un lieu de rencontre et d'échanges entre les résidents et les visiteurs du festival.

L'Urban Orchard accueillit également le Living-ARK, une capsule de vie zéro carbone qui fut habitée durant toute la durée du projet afin de présenter différents styles de vie durables. En septembre 2010, le jardin fut démonté et tous ses arbres donnés aux habitants du quartier et à d'autres jardins collectifs, de façon à laisser un souvenir durable du London Festival of Architecture 2010.

Photos: Mike Massaro

0800
781 4903

Allotment

PRINZESSINNEN-GÄRTEN

Photos: Marco Clausen

L'entreprise à but non lucratif Nomadisch Grün a lancé durant l'été 2009 un projet pilote, le jardin collectif Prinzessinnengärten. Le site de Moritzplatz, situé sur l'ancien tracé du Mur de Berlin dans le quartier berlinois de Kreuzberg, était un terrain vague depuis plus d'un demi-siècle. Avec l'aide d'amis, de défenseurs du projet, d'activistes et de voisins, le groupe nettoya le site, construisit des bacs transportables pour la culture de légumes bio et récolta bientôt les premiers fruits de son travail. Conçu comme un centre d'apprentissage, le Prinzessinnengärten est devenu un lieu où les habitants du quartier se retrouvent pour expérimenter et approfondir leurs connaissances en matière de culture de produits bio, de biodiversité et de protection du climat. Herbes et légumes sont cultivés dans des bacs de compost sans aucun engrais chimique ni pesticide. Le projet vise à accroître la diversité biologique, sociale et culturelle du quartier et à explorer une nouvelle façon de vivre ensemble dans la ville. Le site sur lequel se trouve pour l'instant le jardin est loué, ce qui a incité l'équipe de Nomadisch Grün à concevoir une ferme mobile qui puisse être facilement empaquetée et transportée jusqu'au prochain chantier de construction, parking ou toit abandonné qui l'accueillera.

motörhead
MÄRKISCHES
MÄRKISCHES

What if: projects **Vacant Lot**

Le groupe What if: projects s'attache à repérer les espaces inoccupés ou abandonnés qui entourent les lotissements dans l'agglomération londonienne. Ces véritables déchirures dans le tissu urbain séparent et isolent les différentes communautés. What if: projects a développé une stratégie pour récupérer ces espaces négligés et les mettre au service de la population locale. En partant du besoin fondamental de nourriture et d'espaces extérieurs favorisant les rencontres et la pratique des loisirs, il a élaboré des propositions pour transformer ces terrains jusque-là clos et abandonnés en petits jardins. Le premier jardin de ce genre a vu le jour dans le quartier de Shoreditch en mai 2007.

Photos: What if: projects Ltd.

Levitt Goodman Architects

Cabane d'accueil d'Evergreen Brick Works

Evergreen Brick Works est une association caritative canadienne qui s'emploie à rendre les villes plus agréables à vivre. Afin de recevoir les visiteurs durant les mois précédant l'ouverture officielle d'un centre environnemental de quartier prévu sur une surface de 5 hectares, l'agence Levitt Goodman Architects a été chargée de bâtir une cabane d'accueil provisoire. D'une surface d'une dizaine de mètres carrés, celle-ci a été conçue pour accueillir les visiteurs sur le site et présenter l'action d'Evergreen en faveur de la construction verte et d'initiatives écologiquement durables. Les matériaux de construction de la cabane donnent une seconde vie aux déchets : un vieux conteneur a été embelli grâce à des éléments de récupération trouvés dans le quartier, parmi lesquels une porte ornée de graffitis donnant accès à une terrasse et des feuilles d'ardoise qui ont servi de tableaux noirs, tandis qu'un tableau électrique et des lampes d'usine étaient transformés en un ingénieux dispositif d'éclairage fixé au plafond. Dans le droit fil des objectifs de l'association, une gouttière a été installée sur le toit pour récupérer l'eau de pluie et la stocker dans un tonneau. Lorsque son objectif initial devint obsolète, la cabane a pu être transformée sans difficulté. Désormais, elle est utilisée l'hiver comme un abri où les patineurs peuvent venir se réchauffer et acheter des boissons, et à la belle saison, elle devient un kiosque d'information.

Photos: Ben Rahn / A-Frame Inc.

Growing Power

L'objectif de l'organisation pour l'agriculture urbaine Growing Power est simple : cultiver des aliments, cultiver les esprits, cultiver la communauté. Basé à Milwaukee, aux Etats-Unis, le projet a commencé avec un fermier, un lopin de terre et un groupe de jeunes gens dévoués. Aujourd'hui, Growing Power transforme la vie des quartiers en aidant des personnes de divers horizons sociaux et en intervenant sur les environnements dans lesquels ils vivent au travers du développement de Community Food Systems (systèmes de nourriture communautaire) qui fournissent aux habitants d'un quartier des aliments de très bonne qualité, sains et peu coûteux. Growing Power développe parallèlement les Community Food Centers qui, au travers de programmes de formation, de séances de démonstration, d'action sociale et d'assistance technique, permettent la multiplication des Community Food Systems.

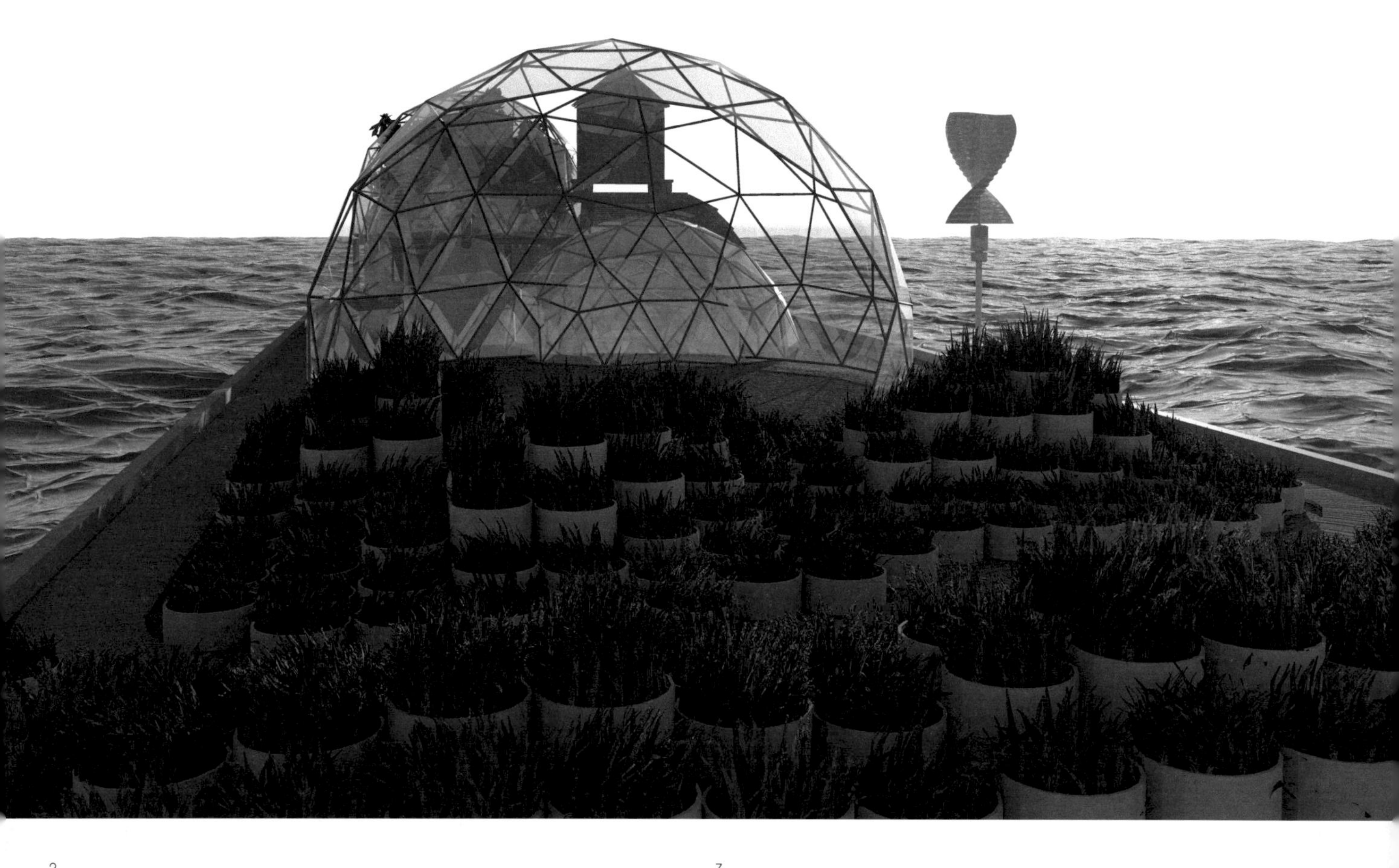

2

3

Images:
1 Le Waterpod en 3D par Lux Visual Effects;
2-4 Mary Mattingly

Mary Mattingly

Le Waterpod

Conçu et dessiné par l'artiste new-yorkaise Mary Mattingly, le Waterpod est un éco-habitat flottant imaginé pour faire face à la montée du niveau des océans et à la raréfaction des terres habitables. En 2009, Mattingly y a vécu avec d'autres artistes durant six mois dans le port de New York afin de tester l'étanchéité de l'embarcation, tout en accueillant à bord des expositions et différents événements. Espace flottant de vie durable, le Waterpod constitue un modèle permettant d'imaginer des possibilités de vie, des technologies et des pratiques artistiques nouvelles. La structure du Waterpod a été construite sur une barge industrielle où furent installés des systèmes permettant de générer de l'eau, de l'énergie et de la nourriture. Quatre cabines ont été créées à l'intention des artistes résidents, ainsi que divers espaces collectifs destinés aux artistes et aux visiteurs. Le Waterpod a été conçu dès l'origine comme un espace public libre et participatif naviguant dans les eaux new-yorkaises. C'est une intervention et un don de la part d'une équipe d'artistes, de designers, de constructeurs, d'ingénieurs et de militants travaillant avec différents groupes, ainsi que d'entreprises participant au projet sur une base « pro bono publico », c'est-à-dire gratuitement. Ces participants se sont rassemblés pour créer un environnement qui mêle ressources publiques et expérimentation privée, un hybride mobile à la fois terrestre et aquatique, intérieur et extérieur. Entre juin et octobre 2009, le Waterpod a navigué au large des cinq arrondissements de New York et de Governors Island. En plus de l'équipe qui a mené le projet, de nombreux artistes de New York et d'ailleurs sont venus le visiter et contribuer à son évolution.

1

2

3

Landschaftspark Duisburg-Nord

Avec une centaine de projets répartis dans la région de la Ruhr, l'International Building Exhibition (IBA) Emscher Park s'est fixé pour objectif de développer et de rénover de manière écologique cette ancienne région industrielle et minière hautement polluée. Le Parc paysager de Duisburg-Nord représente un de ces projets. Les axes de communication et les vestiges de bâtiments autrefois voués à un usage industriel ont été réinterprétés selon une nouvelle syntaxe et intégrés à un nouveau paysage.

Photos :
1, 4 © Siegfried Dammrath ;
2 Manfred Kortmann ;
3 © Markus van Offern

4

WORK Architecture Company

Public Farm I

Public Farm I (P.F.1) était à l'origine un projet conçu par la WORK Architecture Company pour le MoMA et le Young Architects Program de P.S.1 afin de créer un programme d'action sociale en plein air pour l'été 2008. En combinant interventions ludiques et projets éducatifs, l'objectif de P.F.1 était de créer un sentiment communautaire autour de l'expérience partagée de la culture de produits alimentaires. Entièrement réalisée à partir de matériaux recyclés, la structure était alimentée exclusivement à l'énergie solaire et récupérait l'eau de pluie pour l'irrigation. Les gros tubes en carton recevaient des jardinières où étaient cultivés légumes, herbes aromatiques et fruits.

Photos: Elizabeth Felicella

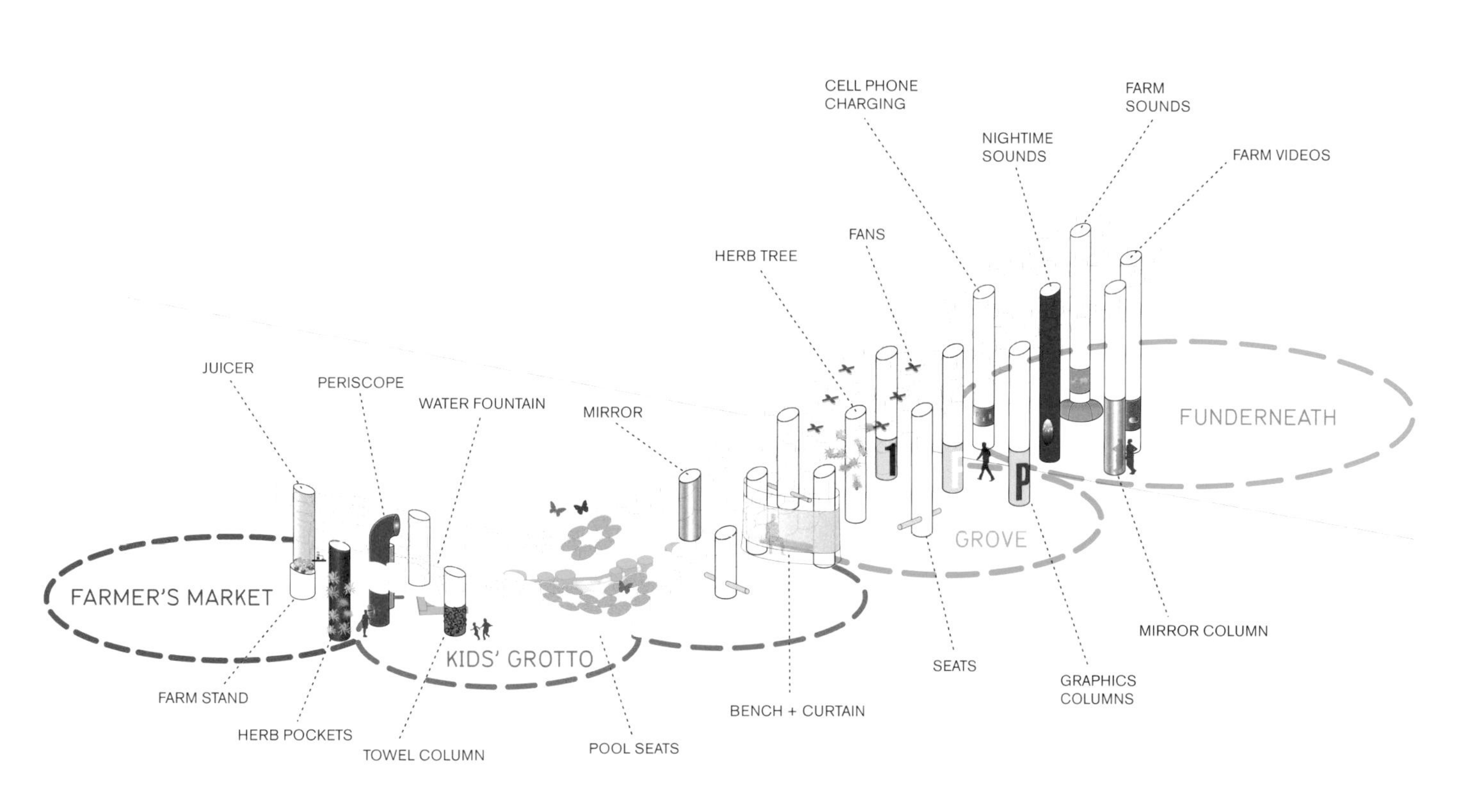
CELL PHONE
CHARGING
FARM
SOUNDS
NIGHTIME
SOUNDS
FARM VIDEOS
FANS
HERB TREE
JUICER
PERISCOPE
WATER FOUNTAIN
MIRROR
FUNDERNEATH
GROVE
FARMER'S MARKET
KIDS' GROTTO
MIRROR COLUMN
SEATS
GRAPHICS
COLUMNS
FARM STAND
BENCH + CURTAIN
HERB POCKETS
TOWEL COLUMN
POOL SEATS

WORK Architecture Company
Public Farm 1
Photo: Elizabeth Felicella

Ernst van der Hoeven & Frank Bruggeman

Dahlia Drive

A l'invitation de MU, de Flux/S et de la coopérative de construction Woonbedrijf, l'artiste Frank Bruggeman et l'architecte paysager Ernst van der Hoeven ont conçu Dahlia Drive : un jardin courant le long d'une des avenues sablées qui entourent l'ancien bâtiment du laboratoire NatLab de l'entreprise hollandaise d'électronique Philips. Ici, une cinquantaine de variétés de dahlias, des Honkas aux Caribbean Delights et des Stolze von Berlin aux Chats Noirs, ont fleuri de juillet à novembre 2009. Au milieu du vacarme des excavateurs, bulldozers et matériaux de construction, mais entretenues avec un soin amoureux, ces fleurs fragiles ont peu à peu envahi le quartier de Strijp-S. Loin d'être un simple jardin de dahlias, Dahlia Drive constituait en vérité une petite oasis, un labyrinthe de sentiers circulaires où les visiteurs pouvaient se promener. Même si le site de Strijp-S est aujourd'hui à l'abandon et noyé dans la grisaille, c'est un lieu qui devrait être restitué à la nature et aux hommes. Et selon Bruggeman et Van der Hoeven, la nature ne doit pas forcément être savamment ratissée pour être belle. Avec quelques matériaux de construction inutilisés et une poignée de jardiniers bénévoles, il est possible de conférer une identité et un visage à n'importe quel terrain.

Photos: Ernst van der Hoeven

1

Arup

Champ de maïs de Zuidas

Zuidas (qui signifie littéralement « Axe sud ») est une des principales zones de développement immobilier d'Amsterdam. Une partie de la stratégie de développement consiste à réunir une série d'éléments complexes et parfois contradictoires de façon à apporter à ce quartier une richesse et une authenticité propres. Dans ce contexte, le projet immobilier s'est associé à l'équipe de planification d'Arup et DRO pour lancer un projet pilote d'agriculture urbaine sur quelques-uns des principaux terrains vagues d'Amsterdam. Avec pour objectif de conférer un caractère spécifique à ces lieux et d'influencer la façon dont le projet immobilier est perçu par les habitants, ce jardin agricole urbain permet de lancer la réflexion sur de nouveaux types de domaines publics, sur l'agriculture urbaine et sur la production d'aliments au niveau local.

Photos :
1 Janus van den Eijnden ;
2 Juan-Mei Hu

2

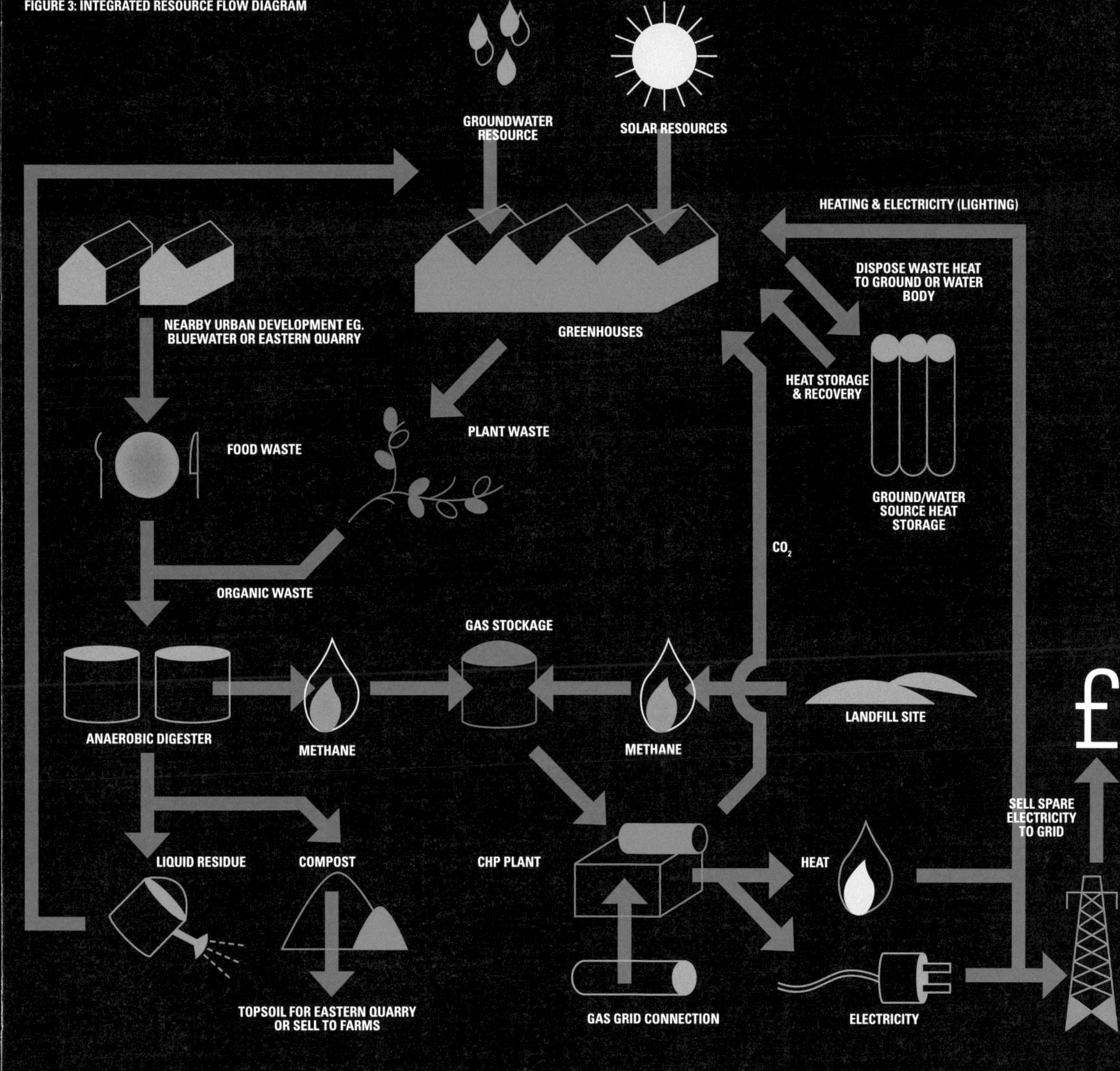

Arup Stratégie d'utilisation temporaire de terrains

Pour répondre à l'exigence de rentabilisation des terrains en attendant que les réalités du marché permettent la mise en place d'un schéma directeur à usage mixte, Arup a développé des solutions d'utilisation à court et moyen terme de terrains en attente de construction comme espaces d'agriculture intensive à haut rendement. La proposition répond à la question urgente de la hausse du prix des produits alimentaires et du besoin croissant d'environnements de vie durables et localisés, et identifie les relations commerciales nécessaires à la réussite du projet. Sur ce site, c'est l'option d'une agriculture intensive sous serre qui a été adoptée parce qu'elle autorise une mise en œuvre rapide tout en profitant pleinement des opportunités du terrain et en minimisant les dépenses immédiates en termes de travaux de terrassement et d'infrastructures.

CibicWorkshop

Rethinking Happiness: un campus au milieu des champs & l'urbanisme rural

Rethinking Happiness est un projet de recherche mené par Aldo Cibic sur le thème des nouvelles communautés.

Prévu pour être implanté sur la lagune de Venise, Un campus au milieu des champs est un projet fondé sur l'autosuffisance alimentaire et énergétique, dans lequel agriculture, jardins potagers, tourisme et technologie peuvent coexister dans un même environnement.

Le projet Urbanisme rural s'applique à un vaste territoire rural situé à une heure de Shanghai, et dont l'agriculture traditionnelle se trouve prise en tenaille entre une zone industrielle en expansion et une ville nouvelle. L'idée est de créer un parc agricole sur une zone de 4 km² peuplée de 8000 personnes réparties dans des logements clairsemés, à la fois en préservant les activités agricoles et en ménageant des espaces verts pour les habitants. Le projet propose des bâtiments surélevés le long des rues afin de créer une structure perpendiculaire flottant au-dessus des champs. Au centre de ce « Central Park agricole », des fermes spécialisées assurent un développement des campagnes qui marie durabilité et rentabilité. Le défi consiste à créer une nouvelle communauté bénéficiant de services partagés et développant de nouvelles activités et relations, le tout en harmonie avec l'environnement.

Photos : Matteo Cibic ;
page ci-contre Chuck Felton

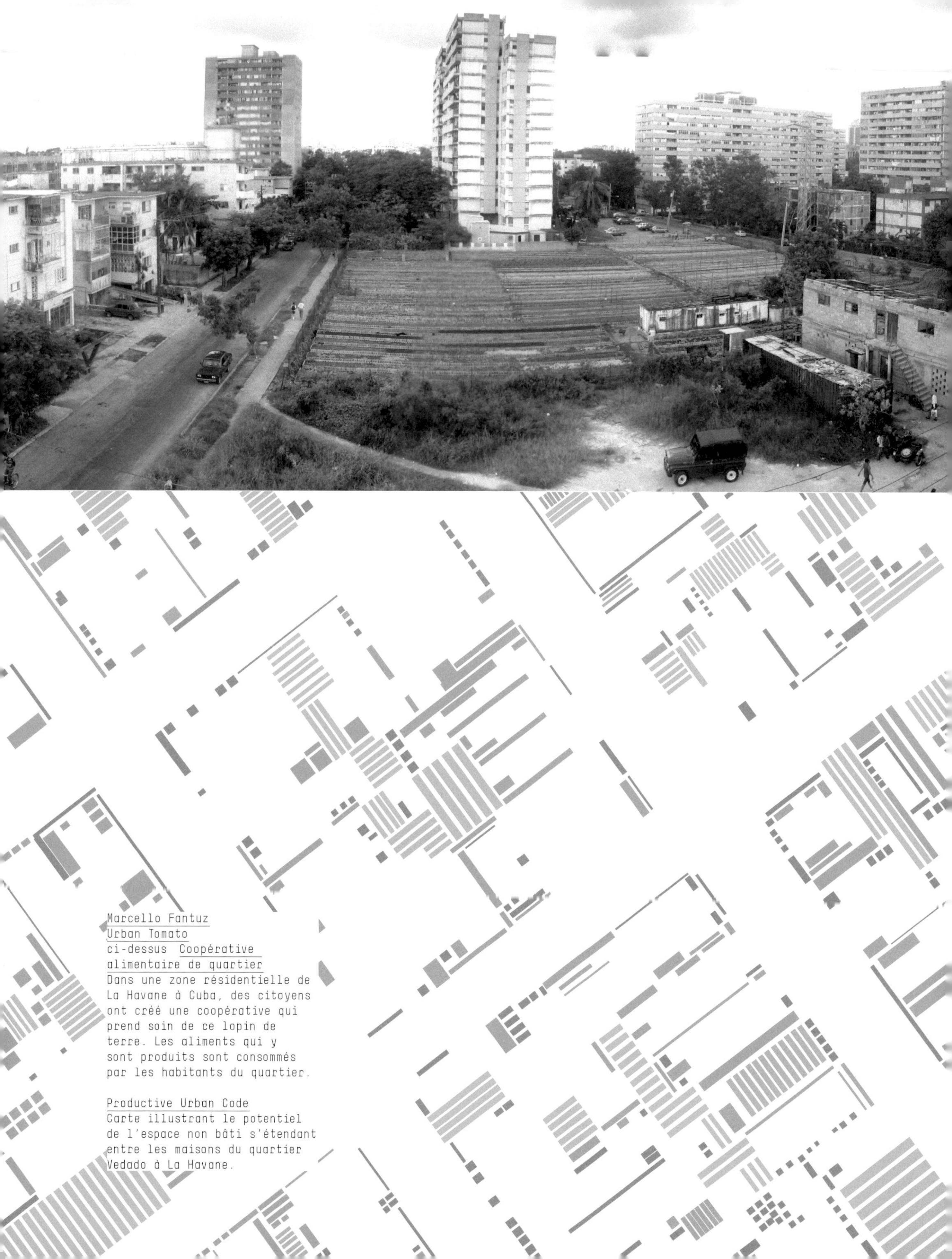

Marcello Fantuz
Urban Tomato
ci-dessus Coopérative alimentaire de quartier
Dans une zone résidentielle de La Havane à Cuba, des citoyens ont créé une coopérative qui prend soin de ce lopin de terre. Les aliments qui y sont produits sont consommés par les habitants du quartier.

Productive Urban Code
Carte illustrant le potentiel de l'espace non bâti s'étendant entre les maisons du quartier Vedado à La Havane.

Maaike Bertens
Kavelkleed
Tapis inspiré du paysage typique des polders hollandais.

1

2

3

atelier le balto

Le studio berlinois d'architecture paysagère atelier le balto transforme des espaces urbains négligés en installations poétiques inattendues. Les processus de transformation et la notion d'éphémère inspirent ses jardins et espaces publics, qui s'attachent davantage à créer une atmosphère qu'un lieu pittoresque. Depuis sa création en 2001, atelier le balto a conçu des jardins dans toute l'Europe.

1-3 Woistdergarten?–Tafel-Garten
Jardin temporaire à la Hamburger Bahnhof, musée d'art contemporain berlinois.

4, 5 Cage d'Amour
Installation végétale au Schauspiel Frankfurt, théâtre de Francfort.

6 Jardin Sauvage
Jardin du Palais de Tokyo à Paris.

Photos :
1-4 atelier le balto
5 Frank Kraus
6 Yann Monel

4

5

Coloco

La Plage, Mirage à Beaudésert

Jardin communautaire de Beaudésert à Mérignac, France.

1

2

3

1 Anne Hamersky
Dans la banlieue sud de Chicago, le petit-fils de Carolyn Thomas récolte l'ail qu'elle fait pousser dans son arrière-cour.
Photo : Anne Hamersky

2 Stedelijk Museum Amsterdam, Marjetica Potrc, Wilde Westen The Cook, the Farmer, his Wife and their Neighbor
Projet participatif à Amsterdam New West.
Photo : Gert Jan van Rooij

3 Andrew Buurman
Allotments
Photo : © VG Bild-Kunst, Bonn 2010

Itay Laniado **Garden Tools**

Pour ce projet, le designer israélien Itay Laniado s'est penché sur la question des outils de jardin, dont il a étudié les matériaux, l'esthétique et la fonction. Il s'est particulièrement attaché à rechercher une méthode permettant de tordre et de façonner le bois pour obtenir des formes fonctionnelles tout en conservant la simplicité du processus de fabrication et la fonction pratique des outils. Laniado est diplômé du département de dessin industriel de la Bezalel Academy of Arts and Design à Jérusalem.

Photo: Oded Antman

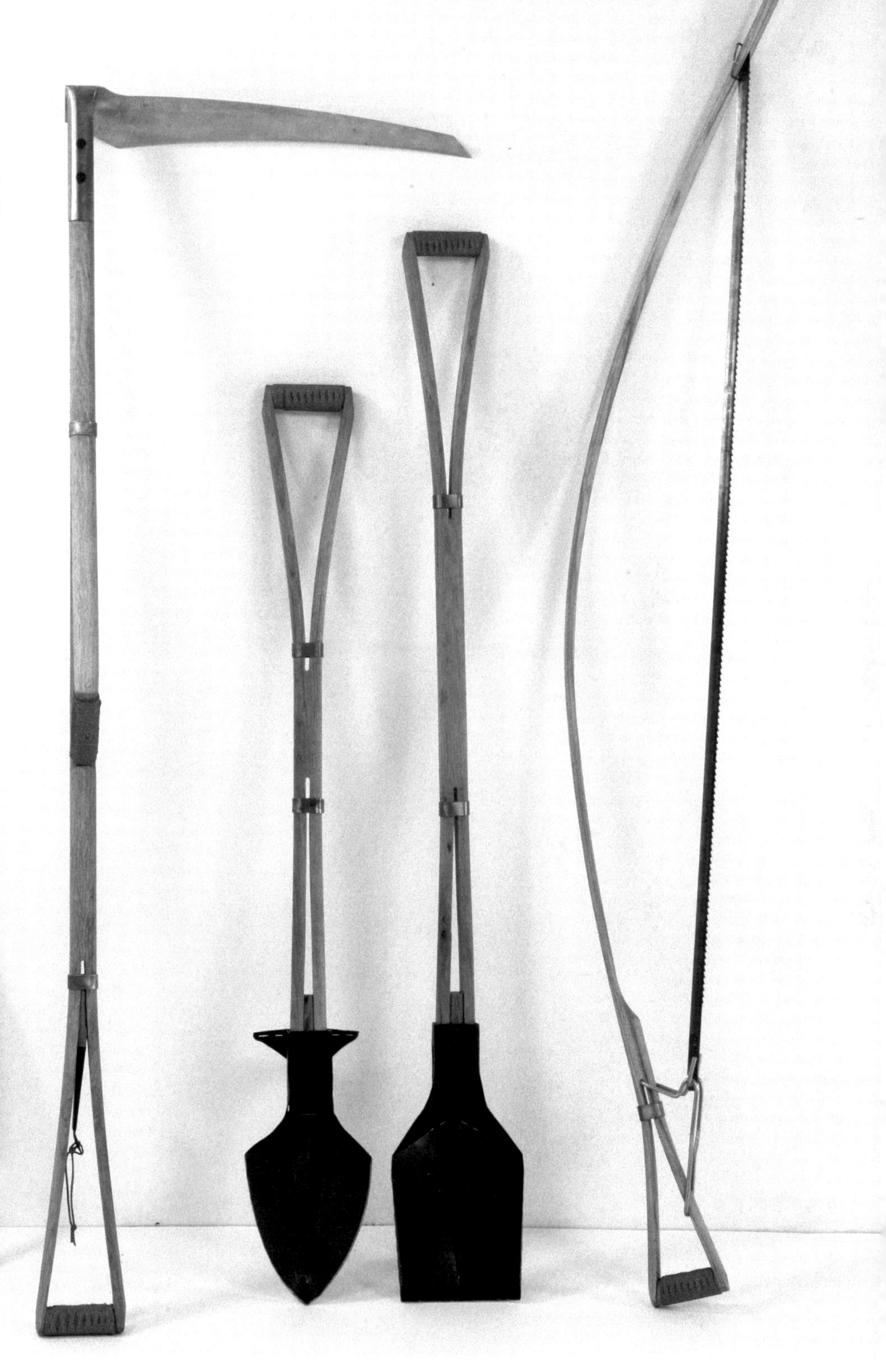

Victory Gardens

Le Victory Gardens 2008+ est un projet pilote financé par la municipalité de San Francisco pour favoriser la conversion des cours, jardins, rebords de fenêtre, toitures et terrains inutilisés en zones de culture d'aliments bio. Il s'inspire des programmes Victory Gardens lancés durant la Première et la Seconde guerres mondiales pour créer des jardins produisant des fruits, des légumes et des plantes aromatiques afin de soulager la pression exercée sur la filière alimentaire publique. Aujourd'hui le combat est dirigé contre un système alimentaire malsain, anonyme et inefficace. Le but est de faire pousser des aliments chez soi afin de favoriser la sécurité alimentaire locale et de réduire la distance habituellement parcourue par les aliments composant le repas américain type. En 2008, l'organisme a choisi pour participer au programme quinze foyers représentatifs de la diversité de San Francisco. Ces ménages ont été sélectionnés indépendamment de leurs revenus, de leur appartenance ethnique, de l'espace dont ils disposaient, de leur voisinage, de leur expérience du jardinage ou de leur style de vie. L'objectif du programme était de créer une communauté de producteurs urbains et de recueillir des données sur la localisation et le potentiel productif de terres urbaines grâce au registre des jardins de la ville compilé par le programme.

Photos: Amy Franceschini

Pam & Jenny
Euralille – Parc des Dondaines
Décorations sur les palissades du chantier d'un futur jardin public à Lille.
Photo : Nathalie Pollet

FUTUREFARMERS

1 Rainwater Harvester/ Gray-water System Feedback Loop
Système d'économie d'eau fabriqué à partir de matériaux de récupération, qui recueille l'eau de pluie et celle qu'on laisse habituellement couler dans l'évier en attendant qu'elle soit chaude. L'eau est stockée dans trois petites cuves de recyclage, qui peuvent également servir de sièges. La pompe à main que l'on aperçoit à droite sert à renvoyer dans l'évier l'eau récupérée afin de la réutiliser plus tard. L'évier est équipé d'une évacuation réglable qui permet à l'utilisateur d'envoyer l'eau soit dans les unités de stockage, soit dans le système de récupération des eaux grises destinées à l'arrosage du jardin, ou bien dans le réseau municipal de tout-à-l'égout.

Photos: Amy Franceschini

Futurefarmers est un collectif d'artistes et de designers travaillant ensemble depuis 1995. Leur atelier sert de plateforme de soutien à des projets artistiques, des programmes d'artistes en résidence et des recherches dans différents domaines. Futurefarmers réunit des enseignants, chercheurs, designers, jardiniers, scientifiques, ingénieurs, illustrateurs, couturiers, cuisiniers et conducteurs de bus qui veulent créer des œuvres questionnant les systèmes sociaux, politiques et économiques actuels. Au travers de leurs travaux, les membres de Futurefarmers sont devenus des innovateurs dans les domaines de l'art et du design. Ils ont exposé dans d'innombrables galeries et musées du monde entier, parmi lesquels le MoMA et le Whitney Museum à New York, ainsi que le ZKM de Karlsruhe en Allemagne.

1

3

2

4

2, 3 Nearest Nature
L'atelier **Nearest Nature** et l'exposition qui l'accompagnait ont été organisés pendant trois jours par Futurefarmers dans le cadre du projet Urban Concerns du Bildmuseet d'Umeå en Suède. En collaboration avec des botanistes locaux et des étudiants des Beaux-Arts et en interaction avec le public, il a permis de créer des œuvres correspondant au système linnéen de taxonomie et faisant appel à la connaissance de la flore locale et aux influences de la mondialisation sur l'environnement local.

4 The Reverse Ark: Headlands Kitchen Garden
Le projet **Reverse Ark** est le fruit d'une commande du Headlands Center for the Arts de Sausalito en Californie. Un chef cuisinier a sélectionné pour ce projet vingt-quatre herbes aromatiques différentes qui furent ensuite plantées. La conception du jardin devait répondre aux critères très stricts imposés par les parcs nationaux ; on construisit donc un jardin bateau recouvert d'une grille afin de le protéger des daims et des pumas. L'Art Center étant situé à un petit kilomètre de l'océan Pacifique dont le niveau est en augmentation constante, il est prévu que le jardin flotte sur l'eau lors des grandes marées. Plus d'une centaine de personnes ont participé à l'inauguration du jardin en mettant en terre les différents plants d'herbes.

Doors of Perception

City Eco Lab

L'exposition City Eco Lab fut l'un des événements de la Biennale internationale de design de Saint-Etienne en 2008. On put y découvrir plus de cinquante projets autour des jardins potagers urbains, du stockage de nourriture à basse consommation d'énergie, des solutions communales de compostage, de la redécouverte de rivières cachées, des services de coursiers verts à vélo, ainsi que d'une grande variété d'outils logiciels permettant aux citoyens de partager les ressources.

Virginia Echeverria Whipple
Sans titre
Photographie, découpages et
papier coloré.

2

3

1

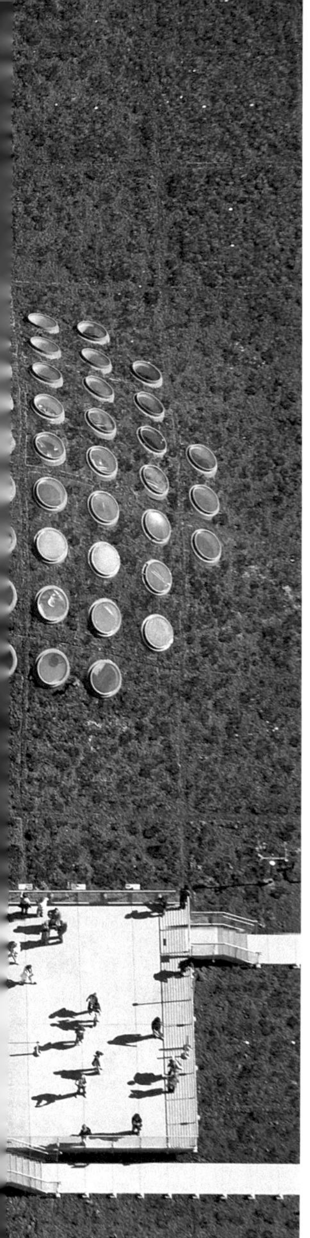

4

5

Renzo Piano
Académie des sciences
de Californie
Conçu par Renzo Piano, le toit ondulant du nouveau bâtiment de l'Académie des sciences de Californie est planté d'espèces locales résistantes à la sécheresse, n'exigeant donc aucune irrigation. D'une superficie d'un hectare, ce toit végétal se prolonge au-delà des murs du bâtiment, formant un dais de verre qui, outre qu'il abrite du soleil et protège de la pluie, génère de l'énergie grâce à plus de 55 000 cellules photovoltaïques insérées dans le verre. Au centre du toit, une verrière surplombe un vaste espace de circulation. Des hublots aménagés dans le toit laissent pénétrer la lumière naturelle dans l'espace d'exposition et s'entrouvrent automatiquement pour rafraîchir le bâtiment.

Photos:
1, 5 Tom Fox, © SWA Group;
2 Ishida Shunji © Rpbw,
Renzo Piano Building Workshop;
3 Nic Lehoux © Rpbw;
4 Justine Lee © Rpbw

Durante Kreuk
Jardin en toiture de la parcelle 6
Toits végétaux, village olympique, Vancouver.
Photos: DK

Levitt Goodman Architects
Native Child and Family
Services of Toronto
Installé sur près de 3 000 m² en plein centre de Toronto, le nouveau bâtiment des **Native Child and Family Services of Toronto** (NCFST) fournit des services sociaux et culturels à des enfants et familles d'origine indienne. L'agence **Levitt Goodman Architects** s'est vu confier la création d'un lieu qui reconnecte les aborigènes urbains avec la nature au cœur même de la ville tout en conférant une forte présence visuelle à la communauté des Nations premières. Ouvert en juin 2010, cet ancien immeuble de bureaux datant des années 1980 abrite désormais une crèche, un atelier destiné aux artistes d'origine indienne, des services sociaux et d'aide psychologique ainsi que des bureaux administratifs, mais aussi des versions contemporaines d'une maison de réunion, d'une hutte de guérison et d'un feu installés sur le toit, au milieu d'un jardin luxuriant.
Photos: Ben Rahn / A-Frame

Hoerr Schaudt Landscape Architects

Toit végétal du Gary Comer Youth Center

Ce toit-verger conçu comme une salle de classe en plein air ajoute une dimension inhabituelle à la conception traditionnelle des toitures végétales. Un jardinier à plein temps utilise un système de plantation conçu spécialement par Hoerr Schaudt **pour enseigner les méthodes de jardinage aux jeunes citadins. En tirant profit de deux sources d'énergie différentes, la chaleur dégagée par le bâtiment lui-même et l'énergie solaire, il est possible de jardiner pratiquement toute l'année. La couche de terreau d'une trentaine de centimètres d'épaisseur permet de cultiver une large variété de plantes.**

Photos: Scott Shigley;
page ci-contre Okrent Associates

Brooklyn Grange

Entreprise commerciale de culture biologique installée sur les toits de New York, Brooklyn Grange **fait pousser des légumes et les vend aux habitants et entreprises de la ville. Son objectif est de favoriser l'accès à une nourriture saine, de rapprocher les citadins de la vie agricole et de la production de nourriture, et de faire de l'agriculture urbaine une activité viable et rentable. Bien que fonctionnant comme une entreprise privée,** Brooklyn Grange **est tournée vers la communauté et ouverte au public. Groupes scolaires, familles et volontaires sont les bienvenus pour visiter, participer et apprendre à jardiner.**

Photo: Brooklyn Grange

Carrier

1

1, 2 Ferme de Ginza
Ferme d'Omotesandō
Ferme sur toiture à Omotesandō, Tokyo.
Photos: Ginza Farm Corp.

3 NUTZDACH
L'organisme suisse NUTZDACH se consacre à l'installation de jardins potagers sur les toitures de bâtiments résidentiels.
Photo: Brigitte Fässler

2

3

Eve Mosher

Seeding the City

Eve Mosher est une artiste qui vit et travaille à New York. Elle interroge le paysage pour évaluer l'intérêt que suscitent les questions urbaines dans la population. Ses œuvres publiques questionnent notre implication dans l'environnement, l'utilisation publique/privée de l'espace, l'histoire du lieu, les problématiques sociales et culturelles, ainsi que notre compréhension de l'écosystème urbain. L'une de ses interventions publiques, le projet Seeding the City, encourage les constructions collectives et aborde les problèmes d'environnement urbain en invitant les gens à convaincre leurs voisins d'adhérer à un réseau de Green Roof Modules. Ces modules contribuent à réduire la chaleur de l'air ambiant et de la surface du toit grâce à l'évapotranspiration, la chaleur provoquant l'évaporation de l'eau des feuilles et de la terre des plantes. En plus de tempérer la chaleur urbaine, les toitures végétales contribuent à diversifier les écosystèmes citadins, filtrent les eaux grises, font baisser le stress lié à la chaleur, réduisent la consommation d'énergie, la pollution de l'air et les émissions de gaz à effet de serre. Une fois installés, ces modules sont signalés par un drapeau et par des marquages sur le trottoir, afin d'attirer l'attention sur ce réseau, qui est cartographié et suivi en ligne afin de mesurer son impact sur la chaleur urbaine.

3

4

1, 2 Anne Gabriel-Jürgens Photography
Urban Farming, NYC

3, 4 Ben Faga Rough Luxe Hives

C'est en cherchant à créer des méthodes locales et durables de production de nourriture que Ben Faga a eu l'idée d'installer des ruches en milieu urbain. Il possède aujourd'hui deux ruchers biodynamiques à Londres, l'un sur le toit du Rough Luxe Hotel à King's Cross, composé de trois ruches, l'autre sur celui de son propre atelier à Dalston. Au fil de son travail, Faga a pris de plus en plus conscience de la situation inquiétante dans laquelle se trouvent les abeilles butineuses. De son point de vue, leur disparition n'est pas seulement due aux pratiques agrochimiques à grande échelle, mais aussi aux méthodes de l'apiculture moderne. L'apiculteur d'aujourd'hui contraint en effet les abeilles à stocker leur miel dans des alvéoles un millimètre plus large que celles que les abeilles construisent elles-mêmes dans la nature. Il en résulte, selon Ben Faga, des essaims de grandes abeilles stressées qui sont beaucoup plus vulnérables aux maladies et aux contaminations par des parasites. Respecter les normes naturelles dans l'élevage des abeilles leur permet de construire des rayons adaptés à leurs besoins et d'être moins affectées par les maladies.

Photos: Ben Faga

Brooklyn Brine

Après avoir été licencié de son poste de cuisinier, Shamus Jones s'est associé avec son ami Josh Egnew pour créer une petite entreprise de condiments : Brooklyn Brine. Récompensés par divers prix, les condiments sont fabriqués à partir de légumes bio produits localement et récoltés à la main. Des créations comme les jeunes carottes fumées, les betteraves marinées à l'estragon et au fenouil ou encore la purée de courgettes dans sa saumure parfumée au curry sont vendues dans les boutiques spécialisées de la Nouvelle-Angleterre et sur Internet.

page ci-contre

Ryan Rhodes

Design publicitaire du Johnson's Backyard Garden

Le Johnson's Backyard Garden est une ferme certifiée bio d'une trentaine d'hectares qui fonctionne selon un programme de Community Supported Agriculture (CSA), dans lequel les membres règlent d'avance leur part de la récolte à venir. Les participants reçoivent les produits de la ferme le jour même de leur cueillette. Les motifs ornant les sacs et emballages de l'association ont été conçus par l'artiste Ryan Rhodes à l'aide de tampons de bois gravés puis encrés.

JOHNSON'S BACKYARD GARDEN

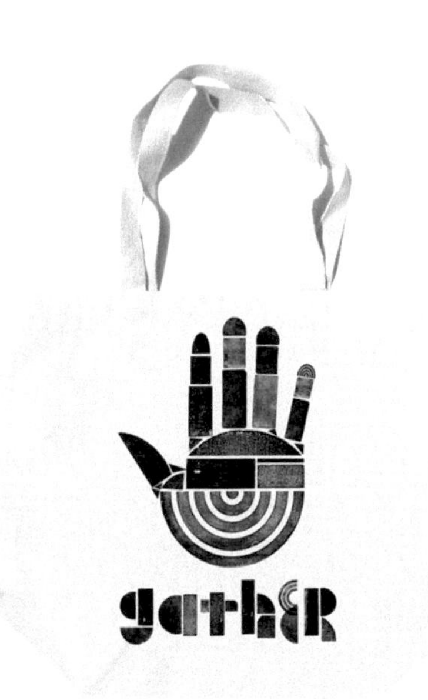

1

FRUIT CITY

2

Photos:
1, 2, 4 Mike Massaro;
3 Vahakn Matossian

Fruit City est un projet qui vise à recenser tous les arbres fruitiers poussant dans les espaces publics londoniens. Son site Web propose une liste d'organisations et de programmes associés ainsi que des recettes à base de fruits. Le designer de l'équipe, Vahakn Matossian, a développé une série d'objets accompagnant toutes les étapes du processus, depuis la cueillette jusqu'à la confection de jus de fruits. L'objectif de cette initiative est de rappeler aux Londoniens que même s'ils vivent dans une grande ville, la nature est toujours à leur porte. Les arbres et arbustes de la ville produisent des tonnes de fruits – mûres, pommes, poires, fraises… – dont la plus grande partie est inutilisée, alors même que les commerces importent à grands frais des fruits du monde entier. Ainsi Fruit City n'entend pas seulement fournir une carte d'accès à ces arbres fruitiers urbains, mais espère faire reprendre conscience aux citadins de la nature qui les entoure, et les inciter à planter des vergers communautaires.

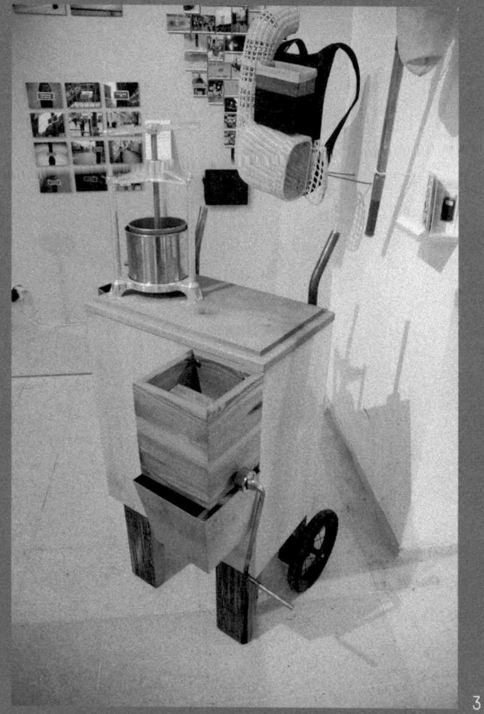

3

Turf Design Salad Bar

Le Salad Bar a été présenté lors de l'édition 2004 de l'exposition Built Environment Future Gardens organisée aux Royal Botanic Gardens de Sydney. L'exposition entendait montrer qu'il est possible d'intégrer concrètement la durabilité environnementale dans la vie contemporaine. En 2005, le projet fut convié à participer à l'exposition Houses of the Future, installée dans le parc olympique de Sydney. Le Salad Bar est une structure modulaire verticale permettant de faire pousser des plantes. Il a une empreinte plus faible que le jardin habituel, car il occupe un espace au sol plus restreint en ayant une superficie équivalente en mètres carrés. Insérer un bar entre des cloisons végétalisées offre une vision ludique de la façon dont le concept d'autosuffisance peut être intégré dans la vie urbaine contemporaine. Le Salad Bar recueille l'eau de pluie qui est stockée dans un réservoir central à la base du mur. L'eau est ensuite pompée et va alimenter un goutte-à-goutte qui humidifie les mottes de terre de chaque module de croissance. Au-delà de sa forme actuelle, le Salad Bar pourrait être incorporé à de futurs environnements urbains, avec des applications résidentielles, commerciales ou architecturales.

Photos: Simon Wood

Mike Meiré pour Dornbracht Edges

The Farm Project

« Chaos orchestré », telle est la formule qu'utilise le designer et directeur artistique Mike Meiré pour définir le projet de ferme qu'il présente dans le cadre des Dornbracht Edges, une série de projets culturels développés par le fabricant de robinetterie Dornbracht et qui tous se situent à l'intersection de l'architecture, de l'art et du design. La cuisine qu'il expose a été conçue comme un atelier pour les sens et vise à rétablir l'harmonie entre l'homme et la nourriture. En réaction à l'apparence lisse et nette du design minimaliste des cuisines actuelles, Meiré a opté pour la forme rustique d'une grange. Casseroles, poêles et jambons sont suspendus au plafond. Moutons, chèvres et porcs vivants rappellent que la viande ne provient pas du supermarché, mais d'animaux qu'il faut tuer. En tant qu'événement social, le Farm Project raconte des histoires de vie et de mort, de passé et de présent, d'éphémère et d'honnêteté. Dornbracht a présenté pour la première fois le Farm Project de Mike Meiré au Salon international du meuble de Milan en avril 2006. Grâce au succès qu'elle y a remporté, l'installation fut ensuite présentée à la Passagen Design Week de Cologne en 2007, puis comme projet associé lors des journées d'ouverture du Sculpture Project Münster 2007, ainsi qu'à l'Art Basel Miami Beach en décembre de la même année.

Photos: Tim Giesen

Studio Formafantasma **Autarchy**

Autarchy est une installation qui propose une façon autonome de produire des objets et esquisse un scénario hypothétique dans lequel une communauté s'impose un embargo sur sa propre consommation et recourt à la nature pour se nourrir et produire les outils nécessaires à ses besoins. Autarchy rend hommage à la simplicité et au quotidien. Pour créer cette installation, une série de récipients fonctionnels et durables, séchés naturellement ou cuits à feu très doux ont été produits avec un biomatériau composé de 70 % de farine de sorgho, 20 % de déchets agricoles et 10 % de chaux naturelle. Les teintes variées sont obtenues grâce à l'ajout de différents légumes, épices, racines qui sont séchés, bouillis et filtrés. Le Studio Formafantasma a invité le fabricant italien de balais Giuseppe Brunello et le célèbre boulanger français Poilâne à participer au développement de l'installation. Le sorgho constitue le lien entre ces différents artisanats : dans un processus parfait de production sans aucun déchet, la céréale est transformée en outils, récipients et aliments. L'installation présente les étapes successives du processus de production des différents produits. Les meubles servant à exposer les produits sont réalisés selon les mêmes méthodes de fabrication et de séchage que celles utilisées pour le reste du projet et comportent un four à sécher et un moulin. Autarchy propose une façon alternative de produire des objets dans laquelle on utilise le savoir-faire ancestral pour trouver des solutions simples et durables.

Photos: Studio Formafantasma

Studio Toogood **Corn Craft**

S'inspirant des méthodes artisanales traditionnelles, la Gallery FUMI et Studio Toogood, une agence de création, ont exposé à l'occasion du London Design Festival de 2009 une installation artisanale fondée sur le matériau durable et naturel qu'est le blé. Le lancement de l'exposition s'est accompagné d'un dîner conceptuel inspiré de ceux que l'on organise dans les fêtes populaires marquant la récolte annuelle, avec un menu à base de blé conçu par The Modern Pantry.

Photos: Tom Mannion

Studio Toogood

Super Natural

Avec le projet Super Natural, développé à l'occasion du London Design Festival de 2010, le Studio Toogood s'est intéressé à la cueillette et à tout ce qu'on peut ramasser dans la campagne anglaise. Les visiteurs étaient invités à découvrir une installation autour des champignons conçue par Mrs Tee, de New Forrest, baignée dans un parfum de sous-bois créé spécialement par le parfumeur Francis Kurkdjian. Le repas était préparé par La Fromagerie qui, en collaboration avec Arabeschi di Latte, élabora au Bramble Café un menu à base de produits de saison où les aliments cueillis dans la nature occupaient une large place. Studio Toogood lança à cette occasion Assemblage 1, une collection de meubles utilisant trois matériaux – le bois, le laiton et la pierre – provenant de préférence d'Angleterre et travaillés par des artisans locaux incluant des ébénistes, des tailleurs de pierre, des charpentiers et des forgerons.

Photos: Tom Mannion;
page ci-contre Arabeschi di Latte

ARABESCHI DI LATTE

Photos: Arabeschi di Latte

Fondé en 2001, Arabeschi di Latte est un collectif de design culinaire qui aime mettre en avant le concept de convivialité. Le groupe s'est fixé pour mission d'expérimenter de nouvelles approches ayant trait à la nourriture, avec un accent particulier sur la capacité fascinante de celle-ci à créer des situations et des échanges intéressants. Au cours des dix dernières années, Arabeschi di Latte a développé toute une série de projets et d'événements sur le thème de l'alimentation. L'ambition du groupe est de faire naître un sentiment de bonheur quotidien au travers de différentes stratégies participationnelles et interactives répondant au besoin fondamental de plaisir dans la vie sociale.

1 Compost Dinner
Le **Compost Dinner** était un banquet entièrement compostable qui abordait la nourriture en termes de durabilité et de « réutilisation ». Tous ses composants furent ensuite recyclés en compost : la table en carton, les épluchures, les journaux, les assiettes, verres et couverts et les restes du repas. Tous ces déchets furent rassemblés dans une grande boîte en carton puis acheminés dans une ferme. Le Compost Dinner, un concept **Arabeschi di Latte**, se déroula en 2008 dans le cadre de « Arte & Cibo », un projet de l'Associazione Culturale Modidi et du Centro di Riuso Creativa Remida à Codroipo, en Italie.

2-4 BQ Interactive Dinner
Le projet **Big Quality** se voulait un geste ironique envers les régimes alimentaires occidentaux. Il remettait en cause aussi bien les mythes exagérés autour des régimes et de la santé que l'énormité des parts consommées. L'idée était d'organiser un « grand festin version saine » constitué de cageots de fruits et légumes empruntés à un marché local et emplis de produits alimentaires bio. Le dîner se transforma en événement interactif, les invités pouvant créer des plats méditerranéens simples mais aux saveurs intenses en variant les assaisonnements à l'aide d'un pilon ou d'une râpe. Les barquettes écologiques pour servir la nourriture ressemblaient à des emballages de fast-food et étaient proposées en tailles S, M, L et XL.

3

4

2

1, 2 BQ Interactive Dinner

3, 4 Mia Market
Avec **Mia Market**, le collectif a ouvert à Rome un restaurant self-service et une boutique de design qui vend des produits locaux de saison.

1

2

3

4

1

PASTA
DRYER

3

2

POTATO
ARABESCHI
DI LATTE
ORG
OF DOUGH 5.
CUT THE SNAKE
YEAR
OF
POTATO
INFO→

1, 2 Gnocchi Bar
Le **Gnocchi Bar** est un projet itinérant qui mêle culture, tradition culinaire et artisanat pour créer un bar spécial dans lequel les participants sont invités à vivre un moment de détente ravigorant et instructif. Durant la London Design Week de 2008, le **Gnocchi Bar** s'est installé en marge de la manifestation Designersblock. Les recettes à base de gnocchi y étaient préparées à l'aide d'ustensiles traditionnels autour d'une table collective où les visiteurs pouvaient participer aux préparatifs avant de se restaurer

3-5 Pastificio Lu
Pastificio Lu est une installation d'Arabeschi di Latte fonctionnant comme un atelier participatif de fabrication manuelle de pâtes. Faisant largement appel au sens du toucher, l'atelier entendait mettre l'accent sur la forte interaction entre les ingrédients simples et leur interprétation créative. **Pastificio Lu** fut présenté au Designtide de Tokyo en 2009.

4

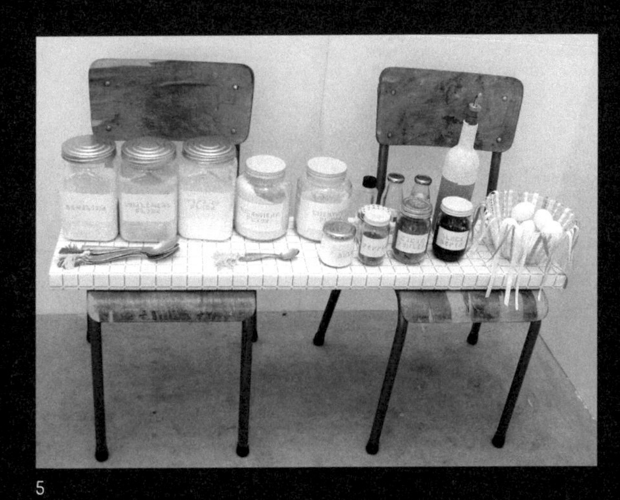

5

Riverside Picnic
Pique-nique sur les berges de l'Arno à Florence organisé à l'occasion des feux d'artifice de la Saint-Jean.

UP Projects

Mobile Picnic Pavilion

Le Mobile Picnic Pavilion, jardin potager mobile créé par le performeur Francis Thorburn, a été promené, durant l'été 2010, par une joyeuse bande de jardiniers performeurs dans les rues d'Islington. Il donnait aux passants l'occasion de découvrir cet espace vert portable et même d'y pique-niquer. Véritable sculpture sociale, le jardin mobile s'inspire de modes de vie durables tout en explorant la capacité des espaces verts à devenir des lieux d'échanges sociaux. Avec son jardin potager abrité sous une structure de type serre, Thorburn a développé un ensemble performatif en deux phases : la rencontre avec le public dans la rue pendant que Thorburn et ses compagnons déplacent le jardin, puis une expérience participative lorsque le jardin, arrêté quelque part, est déplié pour servir d'aire de pique-nique. Le Mobile Picnic Pavilion a été produit par UP Projects à l'occasion du Secret Garden Project, un programme de commandes temporaires et d'événements artistiques éphémères organisés dans les jardins secrets et les espaces verts méconnus de l'agglomération londonienne.

Photos: Courtesy of UP Projects

Meneba

Maaike Bertens **Public Pie**

Public Pie est une cantine mobile qui satisfait nos sens tout en créant une ambiance intime dans un espace public. Le four sert à réchauffer les tourtes mais peut également être utilisé comme un petit banc où il fait bon s'asseoir.

Photos:
1 Claudia Castaldi;
2 Eduardo Costa

1

2

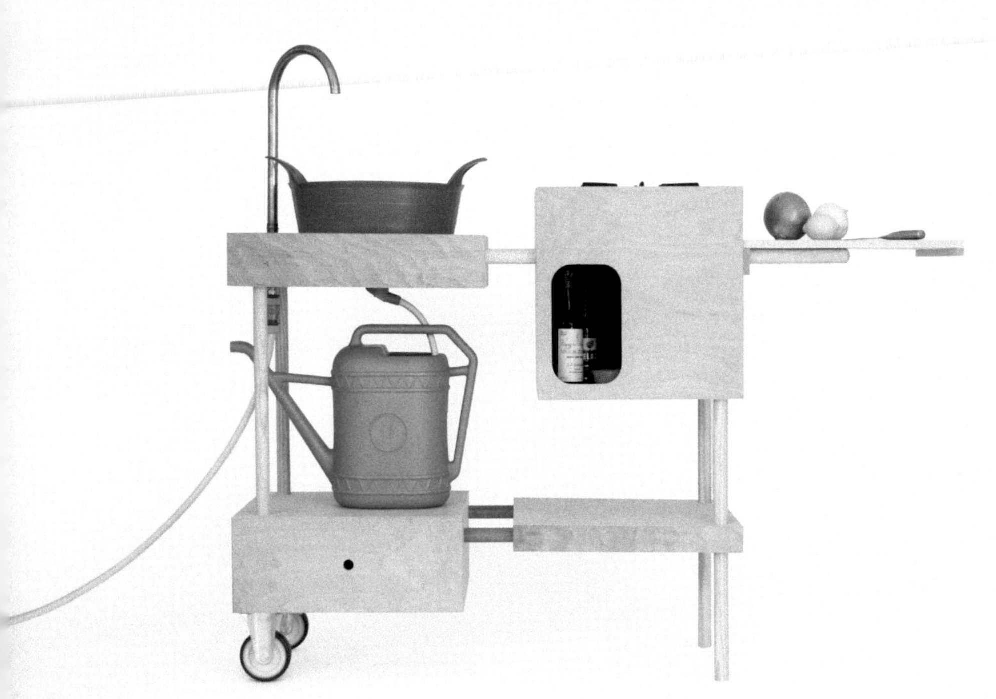

1

1 Studiomama

The Mobile Outdoor Kitchen

Cette cuisine d'extérieur mobile comprend une gazinière, un évier, une planche à découper et des rangements pour les couverts, des ustensiles et quelques ingrédients. L'eau est fournie par un tuyau d'arrosage et les eaux grises sont collectées dans une bassine placée sous l'évier pour pouvoir être réutilisées.

2 Lisa Johansson

Compost Distiller

Le Compost Distiller est un système qui permet de transformer les déchets végétaux de la cuisine en alcool, engrais et compost. Ce système a été conçu essentiellement à l'intention d'espaces collectifs tels que les cuisines, les cafés et les restaurants, ou pour des lieux à partager avec ses voisins, sa taille pouvant être adaptée selon l'usage auquel il est destiné. Avec le Compost Distiller, la designer Lisa Johansson souhaitait créer un produit en mesure d'utiliser pleinement les déchets organiques tels que les épluchures de fruits et légumes qui, au Royaume-Uni, représentent 38 % des déchets liés à la cuisine.

2

3

3, 4 Studio Gorm **Flow2**

Avec Flow2, Studio Gorm a créé une cuisine vivante où nature et technologie entretiennent une relation symbiotique en utilisant de la manière la plus efficace possible l'énergie, les déchets, l'eau et les autres ressources naturelles. Flow2 procure un espace où il est possible de faire la cuisine, mais aussi un environnement qui permet de comprendre comment fonctionnent les processus naturels. Les modules Flow2 peuvent être utilisés indépendamment les uns des autres, mais sont beaucoup plus efficaces lorsqu'ils agissent de concert. Le rangement à vaisselle sert également d'égouttoir vertical, laissant ainsi plus d'espace sur les surfaces planes de la cuisine. Et l'eau qui goutte de la vaisselle en train de sécher humecte la terre des herbes et plantes comestibles qui poussent dans les jardinières disposées en dessous.

Photos: Studio Gorm

4

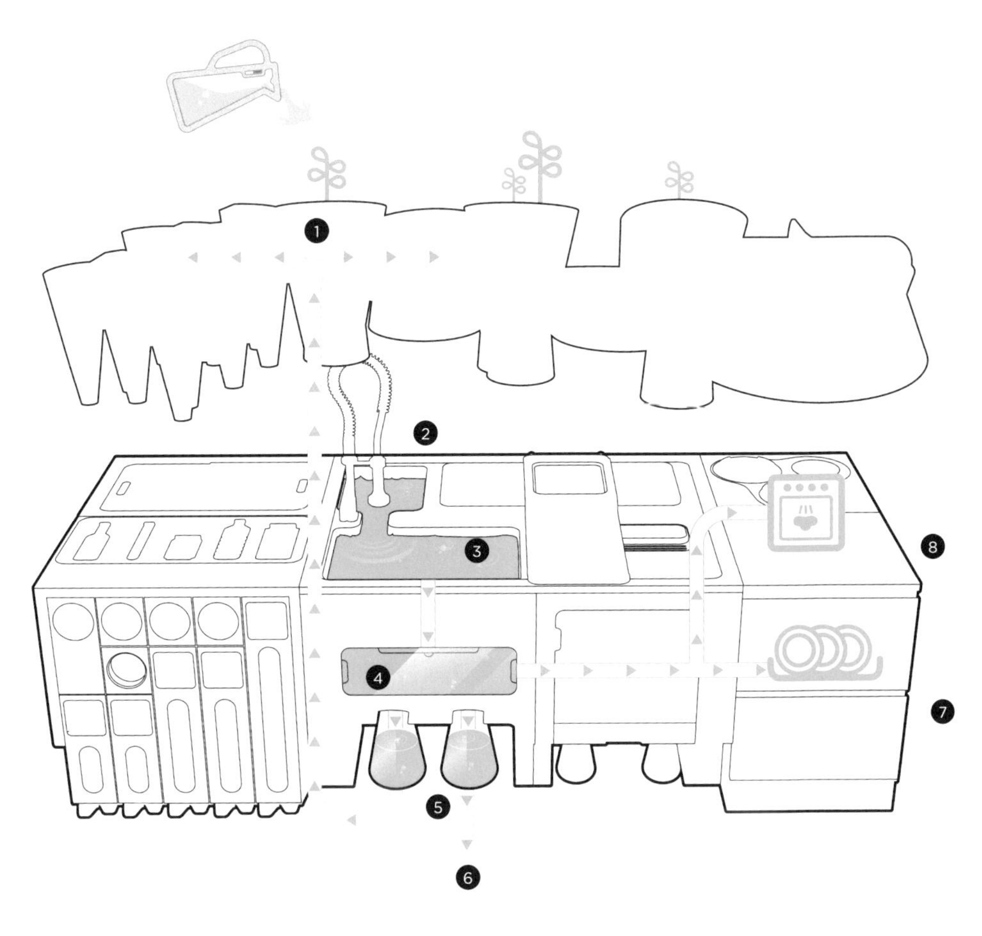

1 - Alimentation des pots ultraponiques Watering of ultraponic pots
2 - Bac à légumes Tray for vegetables
3 - Évier Sink
4 - Réservoir Reservoir
5 - Brocs Pitchers
6 - Arrosage des plantes Watering plants
7 - Alimentation lave-vaisselle Input dishwasher
8 - Alimentation four vapeur Input steam oven

FALTAZI
Ekokook

Imaginé par les designers français Laurent Lebot et Victor Massip, le système de cuisine écologique Ekokook est fondé sur quatre éléments essentiels : la gestion des déchets, l'hygiène culinaire, les économies d'énergie et le rangement intelligent. Afin de traiter les déchets le plus près possible de l'endroit où ils sont produits, la cuisine comporte des dispositifs intégrés permettant de sélectionner, traiter et stocker les déchets organiques, solides et liquides. Des produits frais sont cultivés à l'intérieur même de la cuisine et les appareils électroménagers comme le lave-vaisselle à deux niveaux ou le réfrigérateur à compartiments sont optimisés pour réduire la consommation d'énergie. Conçus pour avoir une longue durée de vie, tous les matériaux utilisés ont été choisis pour leur impact le plus faible possible sur l'environnement.

Philips Design
Philips Design Food Probe: Biosphere Home Farm
La **Biosphere Home Farm** est un concept développé au sein du programme **Design Food Probe** de **Philips** qui explore les possibilités de produire une partie de sa nourriture chez soi. La mini-ferme verticale comprend des poissons, des crustacés, des algues, des plantes et d'autres mini-écosystèmes, tous interdépendants.
Image: © Philips Design - Food Probes

Mathieu Lehanneur
Local River
Unité domestique d'élevage de poissons d'eau douce couplée à un mini-jardin potager.
Photo: Gaetan Robillard

Duende Studio avec Mathieu Lehanneur, Benjamin Graindorge, et Eric Jourdan
Domestic Ponds
Inspiré de l'agriculture aquaponique, **Domestic Ponds** tire partie de la symbiose entre plantes et poissons. L'eau de l'aquarium, riche en nitrates issus des déjections des poissons, nourrit les plantes, lesquelles jouent un rôle de filtre naturel en retenant les nitrates, contribuant ainsi à maintenir une eau équilibrée pour les poissons.

1 Benjamin Graindorge
Liquid Garden
Verre soufflé, sable, plantes aquatiques, eau, poissons.

2 Mathieu Lehanneur
Fontaine
Aquarium, filtre à sable et plante en pot.

3 Eric Jourdan
Castle
Céramique tournée à la main, sable, plantes aquatiques, eau, poissons.

Photos: © Ulysse Fréchelin

1

2

3

4 Juliette Warmenhoven
Potato Music Box
Photo: Juliette Warmenhoven

5, 6 Specimen Editions
Duplex
Photo: Specimen Editions -
Gabriel de Vienne

4

6

Bétillon / Dorval-Bory

Paysages en Exil

Le projet Paysages en Exil consistait à créer un parcours expérimental autour de l'hôpital de la Grave à Toulouse. Le visiteur était invité à explorer un paysage improbable dans lequel se mêlaient différents climats et des paysages naturels inspirés du monde entier. En référence à la fonction hospitalière, des plants d'herbes médicinales venus des cinq continents étaient disposés dans un espace dit d'acclimatation – une longue serre agricole. Le visiteur entamait son parcours en pénétrant dans un tunnel vivement éclairé. Après avoir choisi à l'aveuglette l'un des 2000 plants insérés dans des sacs en papier à disposition du public, le visiteur poursuivait son voyage en franchissant la passerelle Viguerie dans un épais nuage de brume produit avec de l'eau de la Garonne. A l'extrémité de la passerelle, un surprenant jardin l'attendait. Le visiteur était alors invité à mettre en terre le plant qu'il avait transporté avec lui tout au long du tunnel de brouillard.

Photos: Bétillon / Dorval-Bory

Sophia Martineck
Greenhouse

1

1 Jochem Faudet Grow Your Own Greenhouse

Cette serre en forme de vitrine propose un système autosuffisant comprenant système d'arrosage, ventilation, contrôle de température, ombrage, emplacements pour différentes tailles de pot et espace de rangement pour l'outillage. La serre recueille et stocke l'eau de pluie et est équipée d'une pompe automatique assurant un arrosage quotidien.

2-4 PostCarden

Petit cadeau en forme de carte de vœux, PostCarden est un pop-up amusant qui se transforme en véritable mini-jardin.

Photos: Another Studio for Design

2

3

4

The VOLKSGARDEN™ WWW.VOLKSGARDEN.COM
US. PAT. No. 6604321
Mfg. by OMEGA GARDEN INC.
WWW.OMEGAGARDEN.COM
Made in Canada

Omega Garden

L'Omega Garden est un jardin rotatif fondé sur un système de carrousel automatique formé d'un cylindre d'environ 1,2 mètre de diamètre sur lequel sont disposées des rangées de plantes poussant en direction d'une source lumineuse centrale. Positionné à l'horizontale, le cylindre tourne en permanence et fait décrire aux plantes un cercle complet autour de la lampe, ce qui procure plusieurs avantages majeurs. Contrairement à un jardin horizontal où l'éclairage favorise les plantes qui poussent au centre, le design de l'Omega Garden fournit la meilleure relation plante-source lumineuse possible pour chaque plant. Pour un même encombrement au sol, un cylindre procure également une plus grande surface cultivable, qui est encore agrandie du fait qu'il est possible d'empiler les unités de pousse. La rotation stimule les plantes en raison de la modification permanente subie par les forces gravitationnelles, ce qui accroît la vitesse de croissance, la quantité de bioflavonoïdes et de fibres produits ; les plantes sont également autofécondatrices. N'ayant pas besoin de lumière solaire directe, les systèmes Omega Garden peuvent être installés dans des bâtiments non ajourés, sous des pressions atmosphériques plus denses, en n'utilisant qu'une fraction des ressources nécessaires à l'agriculture traditionnelle en matière de terre, d'eau, d'engrais, de main d'œuvre, de transport et de stockage.

Photos: Ted Marchildon

Detroit Tree of Heaven Woodshop
Adaption Laboratory
Ailante poussant dans une mini-serre fonctionnant grâce à l'air expulsé par les systèmes de climatisation. L'Adaption Laboratory a été installé au KW Institute for Contemporary Art de Berlin en 2004.
Photo : Ingo Vetter

page ci-contre

Windowfarms

Inventées par l'artiste Britta Riley, les Windowfarms sont des jardins potagers verticaux, hydroponiques, modulaires, à faible énergie et haut rendement que l'on peut installer derrière une fenêtre. Ils sont constitués de matériaux locaux recyclés ou à faible impact carbone. Grâce à ce « jardinage à la fenêtre », les citadins peuvent faire pousser leur nourriture dans leur appartement ou leur bureau, et ce durant toute l'année.

Photo : Rebecca Bray, Sydney Shen, Lindsey Castillo, Britta Riley

1

1-3 Studio Makkink & Bey

The Bell Garden

Baptisé en référence à la technique de culture sous cloche, le Bell Garden est un concept de jardinage développé pour l'exposition Blown to Life organisée au Musée national du verre de la ville hollandaise de Leerdam. Créée au XIXe siècle par les Français, la culture sous cloche, où le verre protège les jeunes pousses, peut être considérée comme l'ancêtre de la serre. Avec la collaboration de souffleurs de verre kenyans, le Studio Makkink & Bey a créé des cloches en verre à partir de bouteilles de jus d'orange, de Coca-Cola et de bière usagées, et dotées de poignées de différentes formes.

3

Photos: Studio Makkink & Bey

4

4-6 100Landschaftsarchitektur Thilo Folkerts

Dachgarten Hubert Bächler

Le projet Dachgarten Hubert Bächler a eu lieu en 2002 sur un toit-terrasse de Zurich. A proximité coulaient deux rivières, séparées par un simple mur. L'installation consistait en huit sacs plastique transparents de modèle courant emplis soit avec l'eau boueuse de la rivière Sihl, soit avec l'eau claire de la Limmat, soit avec de l'eau du robinet. Le but de l'expérience était d'observer l'effet des différents types d'eau sur les plantes.

Photos: © Thilo Folkerts

5

6

FULGURO | Cédric Decroux + Yves Fidalgo

Waternetworks Drops

Collection d'objets créée autour du thème de la consommation d'eau : collecteur d'eau de pluie destiné à l'arrosage des plantes, porte-parapluie fiché dans un pot dont la terre est humidifiée par le goutte-à-goutte tombant des parapluies et carafe dotée d'un bec verseur mais aussi de petits trous d'arrosoir pour recycler l'eau non consommée.

Photo : FULGURO

page ci-contre

reHOUSE/BATH

Plateforme de recherche pour un design éthique et durable, reHOUSE/BATH se consacre tout spécialement à la salle de bains, conçue comme un biotope où interagissent homme et nature. Ici, le système d'évacuation du bassin est relié à une série de plantes qui retiennent l'eau utilisée pour la toilette. L'utilisateur doit donc adapter sa consommation au nombre de plantes en pot que contient la pièce.

Photo : Geoffrey Cottenceau

1 Bas van der Veer Design
Raindrop
Récupérateur d'eau de pluie avec arrosoir intégré.
Photo: Astrid Zuidema

2, 3 Jochem Faudet
Freeloader
Freeloader est un système environnemental de croissance de plantes qui peut s'adapter à des sites spécifiques, dont il utilise les structures architecturales existantes – d'où son nom qui signifie « parasite » en français. L'eau de pluie recueillie à l'extérieur est stockée dans un réservoir placé au niveau du chéneau. Les plantes poussent à l'intérieur, près d'une fenêtre, et sont arrosées par gravité à partir du réservoir extérieur.

4, 5 Innovo Design
Green Trace

6 COMMONStudio
(C)urban Ecology: Thinking Beyond the Gutter
(C)urban Ecology est une infrastructure modulaire de micro-remédiation environnementale qui rend possible le filtrage de l'eau de ruissellement et la croissance d'une végétation de rue tout en retenant les microdébris avant qu'ils ne soient absorbés par le système municipal d'évacuation des eaux de pluie.
Image: Daniel Phillips

1

2

3

4

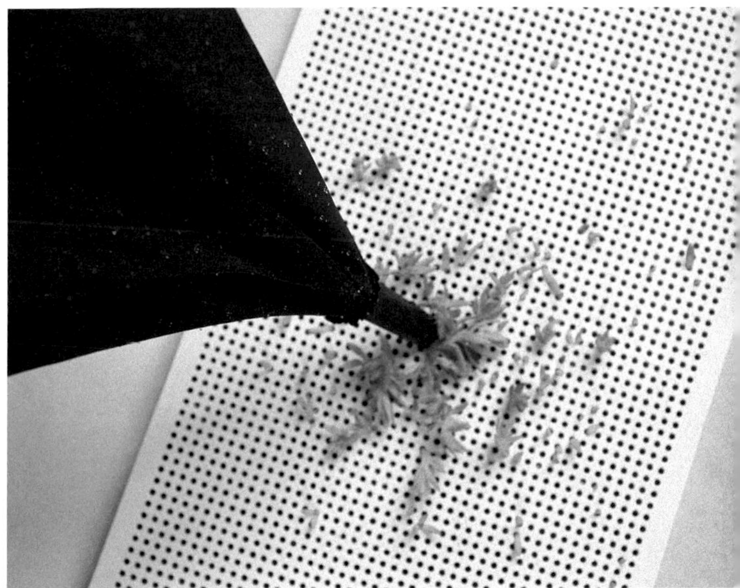

5

6

Julio Radesca
Personal Fresh Air
Photo: Julio Radesca

1 Florent Coirier/
DAILYart DESIGN
Kusamono
Eclairage horticole favorisant la croissance des plantes en intérieur.
Photo: Florent Coirier

2, 3 Miriam Aust
Vase & Leuchte (vase et lumière) / Wohnbeet

1

2

3

NATURAL FUSE

NATURAL
FUSE
SHOP
ALOKA
NAZAZU
ZURE
5Kg-ko
landare

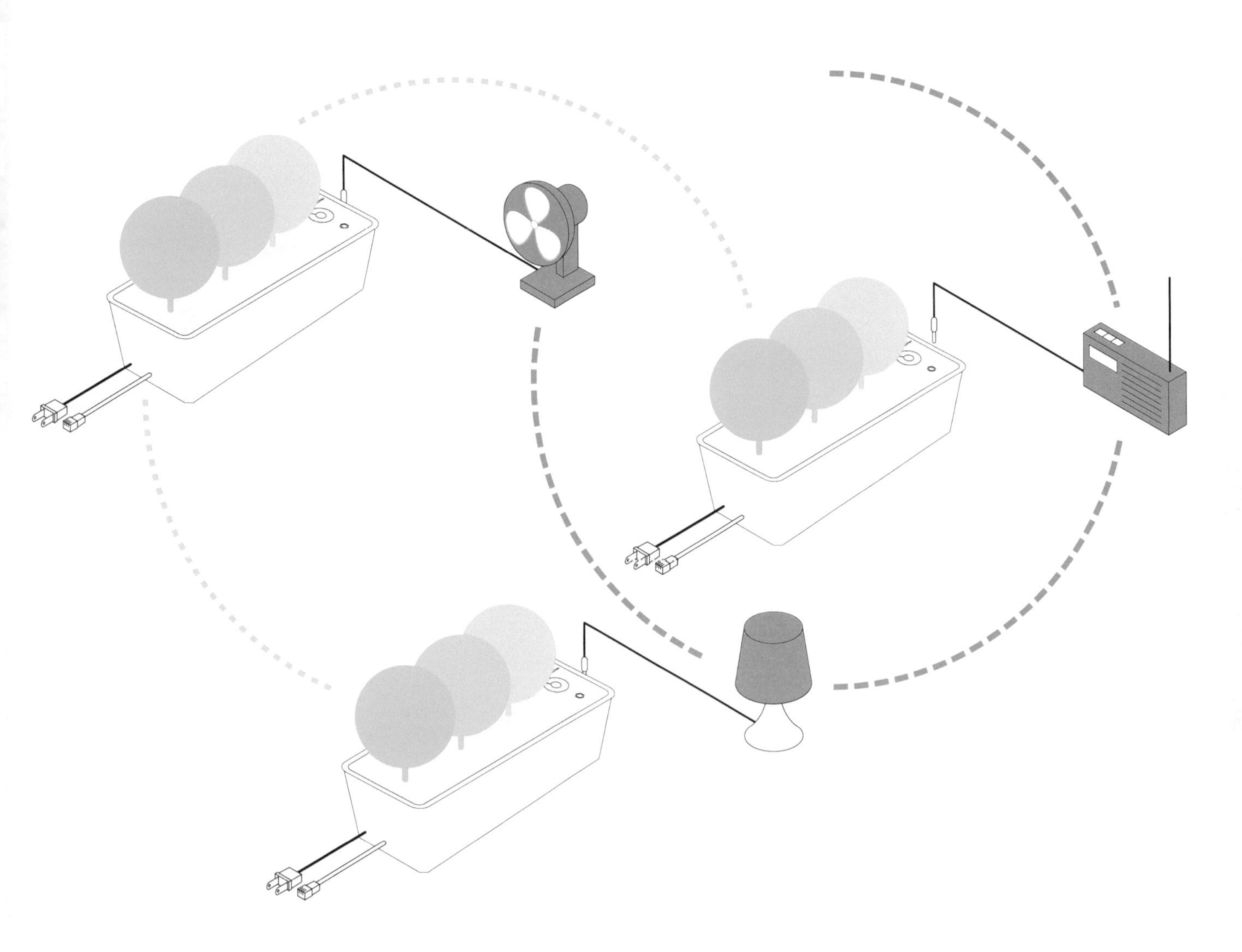

Haque Design + Research **Natural Fuse**

Natural Fuse est un microsystème de compensation des émissions de dioxyde de carbone qui exploite la capacité d'absorption du carbone par les plantes.

Images : Haque Design + Research

1, 2 dotmancando **A.T.R.E.E.M.**

Le projet A.T.R.E.E.M. (Automated Tree-Rental for Emission Encaging Machine – « location automatisée d'arbre pour machine à piéger les émissions de carbone ») entend critiquer le système du marché d'échange de quotas d'émission de carbone et favoriser la prise de conscience environnementale. L'A.T.R.E.E.M. est un dispositif fixé sur un arbre qui mesure la quantité de carbone piégée par l'arbre. Cette quantité est alors affichée par l'interface utilisateur et comparée à la quantité de carbone émise par différentes activités humaines.

Images : dotmancando

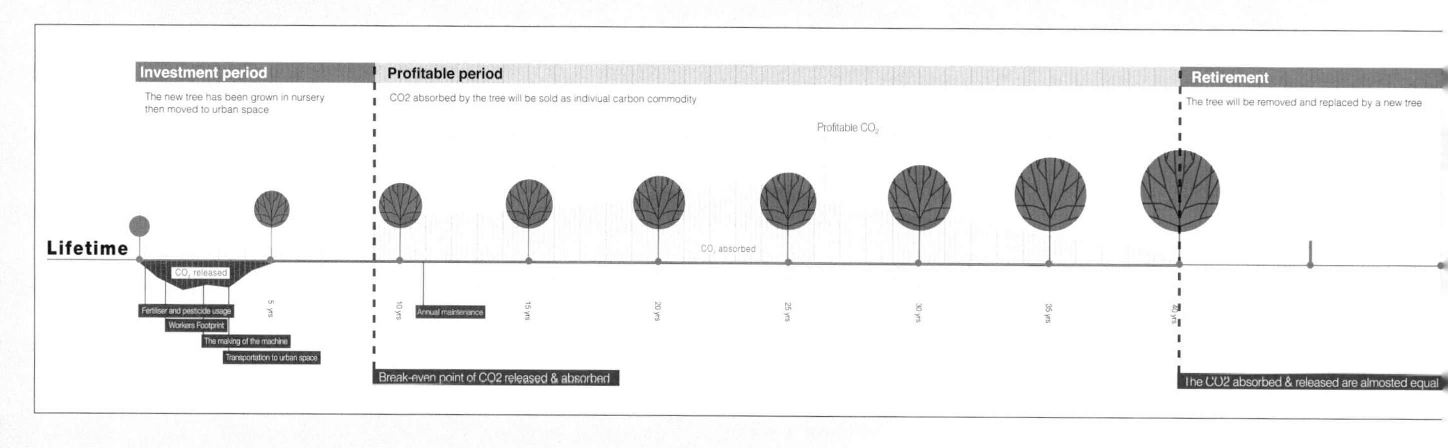

3 Botanicalls
Système permettant à une plante de lancer un appel téléphonique quand elle a besoin d'eau.

4

5

4, 5 Inclusive Studio
Pond
Appareil conçu pour capter les bruits de la forêt.
Photos: Pedro Pegenaute

Arik Levy

Nature vs. Technology

Arik Levy est un designer, artiste, technicien, photographe et réalisateur d'origine israélienne dont le travail est souvent inspiré de formes naturelles. Tronçons de bois, pierres et diamants sont des éléments récurrents dans ses œuvres. « La vie est un système de signes et de symboles dans lequel rien n'est tout à fait conforme à son apparence », souligne-t-il. Dans son œuvre intitulée Nature vs. Technology, la juxtaposition de tronçons d'arbres génétiquement modifiés et d'un éclairage à haute fréquence – placé dans différentes positions pour que l'ensemble évoque un feu de bois – soulève la question de ce que représente le contraste entre nature et technologie dans la vie quotidienne.

Photos: © Morgane Le Gall

Florian Rexroth
Bäume der Stadt
Pour le projet « Arbres de la ville », le photographe **Florian Rexroth** a isolé des arbres de leur contexte urbain à l'aide de tissu blanc.

Welserstraße

Helen Nodding
Hideaway
Univers miniature dans les interstices d'un mur de briques.
Photos: Helen Nodding

Emilio Ambasz & Associates
ACROS (Asian Crossroads Over the Sea)/Fukuoka Prefectural International Hall
Immeuble et jardin en terrasse à Fukuoka, au Japon.

Emilio Ambasz & Associates
ACROS (Asian Crossroads Over the Sea)/Fukuoka Prefectural International Hall

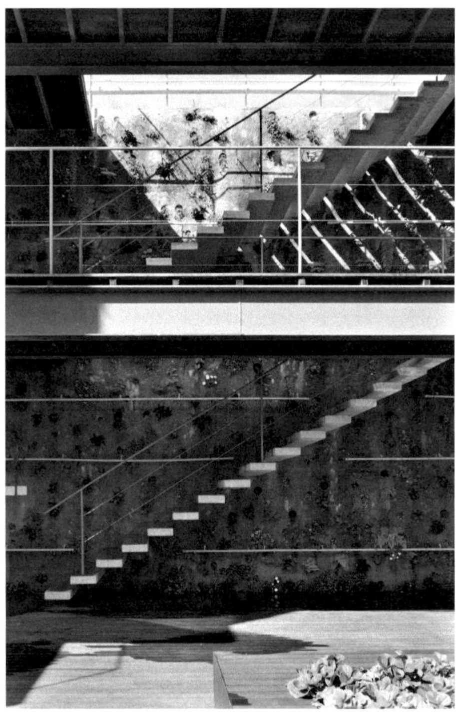

2

3

Triptyque
Harmonia 57
Atelier à São Paulo, au Brésil.
Photos:
1, 2 Nelson Kon;
3 Leonardo Finotti

Mass Studies
Boutique Ann Demeulemeester
Séoul, Corée.
Photos: Yong-Kwan Kim

1

Patrick Blanc
Mur Végétal

Le botaniste français **Patrick Blanc** a commencé à planter des jardins verticaux bien avant que le terme ne passe dans le vocabulaire courant. C'est en effet en 1988 qu'il a breveté son concept de **Mur Végétal**, qui consiste à installer des panneaux en PVC sur les murs et façades, à les recouvrir de plaques de feutre non biodégradable et à y aménager des poches où sont plantés différents végétaux. Bientôt apparaît un véritable « mural » botanique, capable de recouvrir aussi bien un mur de taille modeste qu'un bâtiment entier. Fondé sur le principe de la stratification que l'on observe dans les climats tropicaux, le système procure à la flore une durée de vie quasiment illimitée à condition qu'elle soit régulièrement nourrie et arrosée grâce à un simple dispositif de goutte-à-goutte. L'avantage de ce type de jardin est qu'il occupe peu d'espace au sol tout en ornant des surfaces qui resteraient autrement inutilisées. Grâce au choix des végétaux et à la disposition verticale du jardin, les plantes ont tendance à se développer surtout vers le bas, et non vers le haut et latéralement comme elles le font au sol. Ainsi, on peut en planter deux fois plus que sur une surface horizontale. **Patrick Blanc** a déjà installé 161 jardins verticaux à travers le monde.

1 CaixaForum, Madrid

2 Musée du quai Branly, Paris

Photos: Patrick Blanc

2

cheungvogl
Shinjuku Gardens
Parking à Tokyo.
Images: cheungvogl

2

Bureau Baubotanik
1, 3 Plattform in der Steveraue
La structure porteuse de la plateforme est constituée d'arbres vivants qui ont été savamment positionnés lors de leur plantation pour fusionner ensemble. Au fur et à mesure, les arbres se sont imbriqués aux différents éléments techniques et déterminent désormais l'esthétique de la plateforme au fil des saisons.

Photos:
1 Britta Biermann;
3 Bureau Baubotanik

2 Der Steg
Photo: Storz, Schwertfeger, Ludwig;

3

Marcelo Ertorteguy
The Stone
The Stone est un concept de maison suspendue. Après avoir été hissé dans les airs, un fragment de sol pétrifié se transforme en nuage habitable.

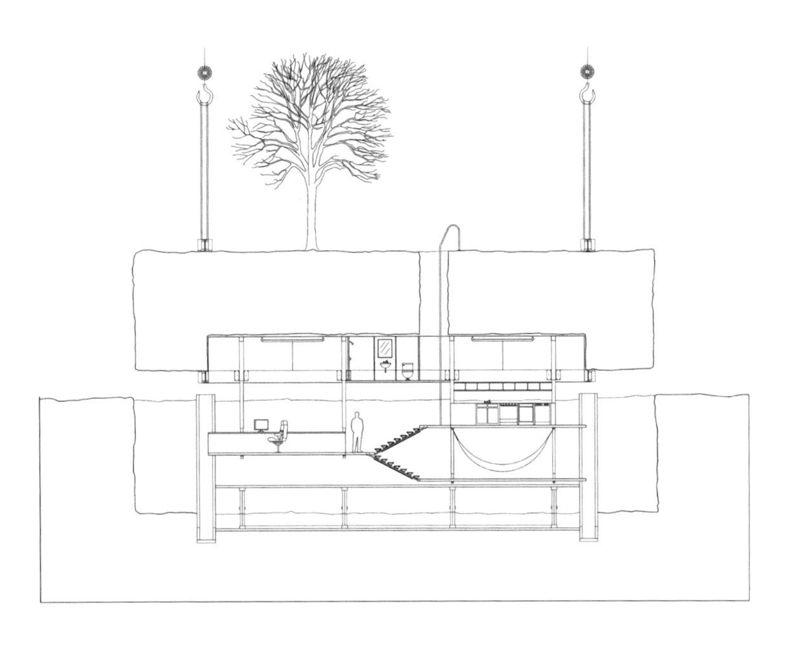

FERMES DU FUTUR

Avec la croissance constante de la population mondiale, l'humanité doit produire toujours plus de nourriture. On estime qu'en 2050 la population humaine comptera environ 3 milliards d'individus supplémentaires. La surface des terres nécessaires pour produire suffisamment d'aliments pour les nourrir représente à peu près 20 % de plus que la surface totale d'un pays comme le Brésil. En travaillant avec ses étudiants de l'université Columbia, le microbiologiste et professeur de sciences environnementales Dickson Despommier a développé l'idée d'immeubles dont les différents niveaux abriteraient des surfaces cultivées. Depuis qu'il a évoqué pour la première fois ce concept en 2001, scientifiques et architectes travaillent sur différents projets de fermes gratte-ciel équipées comme des serres et permettant de produire fruits, légumes et algues tout au long de l'année dans un environnement urbain.

Arup
Vertical Farm Concept Sketch
Esquisse de ce que pourrait être un « immeuble agricole » en milieu urbain densément peuplé.

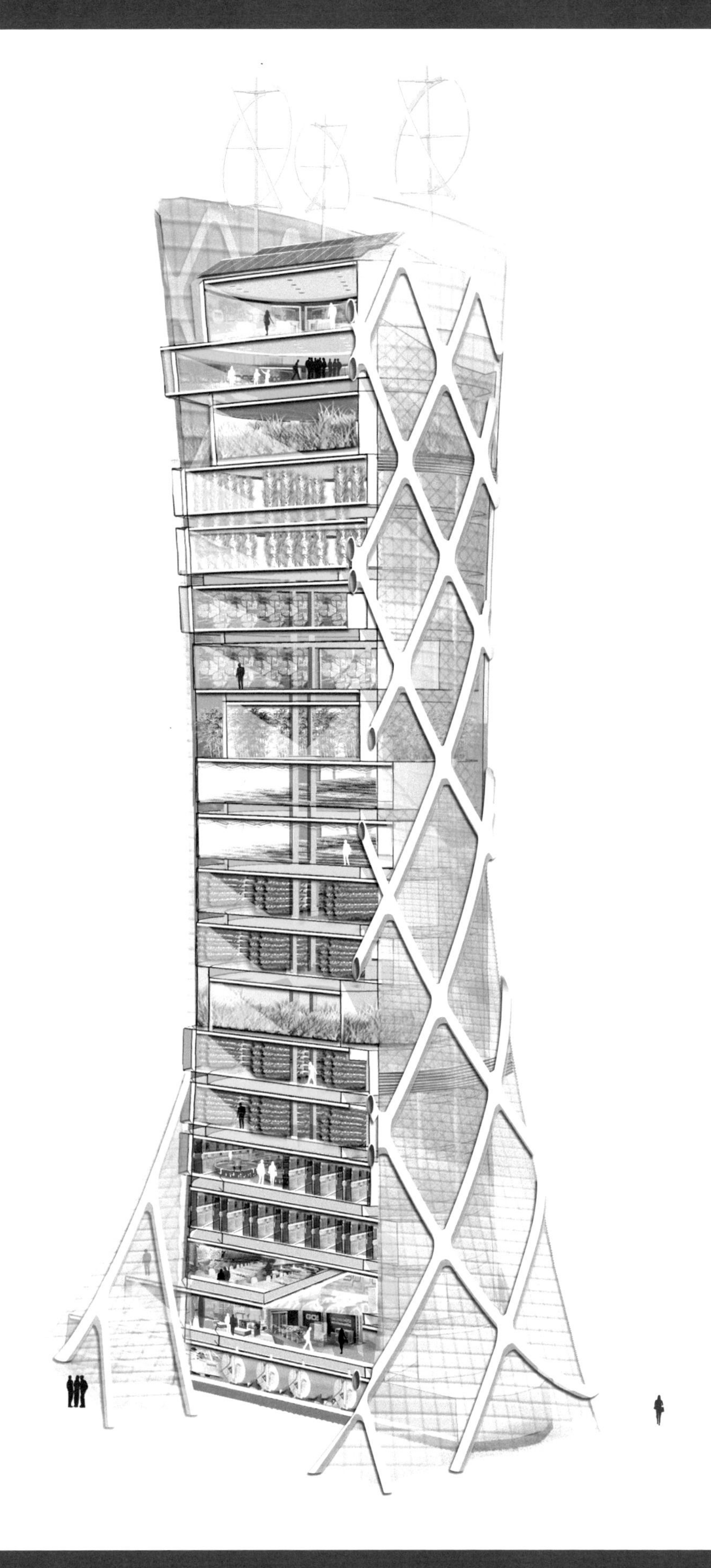

1

2

3

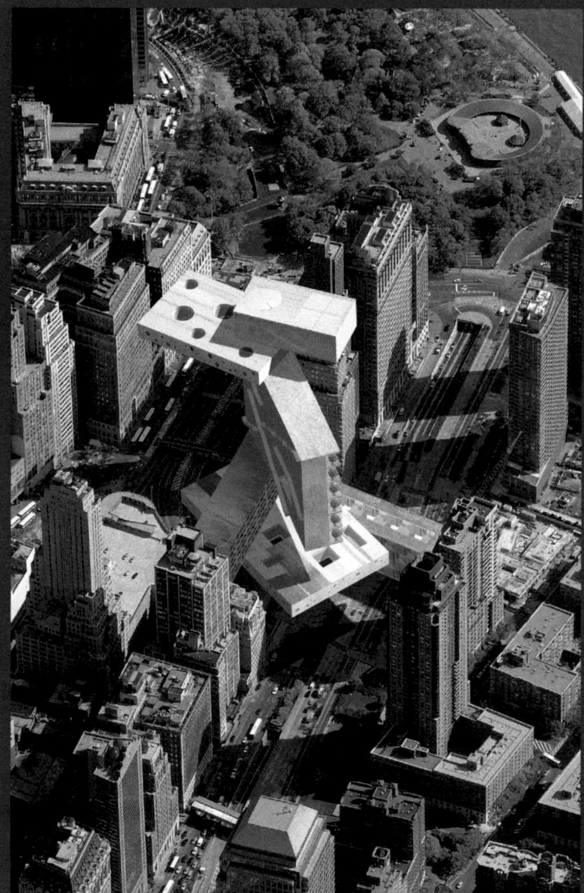

4

WORK Architecture Company

1 Locavore Fantasia

La version de la ferme verticale imaginée par la **WORK Architecture Company** prévoit d'installer les logements des travailleurs agricoles migrants au sommet d'une série de terrasses en gradins appuyées sur des sculptures monumentales, tandis qu'un marché de produits frais et un espace public seraient intégrés au pied du bâtiment. Les cultures en terrasses permettent de démultiplier l'espace utile et autorisent même sur l'une d'elles l'aménagement d'un mini-golf. Le projet **Locavore Fantasia** était une commande du New York Magazine.

2-4 Plug Out

Lors d'une consultation sur l'avenir du quartier new-yorkais de Greenwich South, la **WORK Architecture Company** s'est vue attribuer, pour développer ses idées, un site dont l'emplacement juste derrière un grand immeuble bloquait l'ensoleillement. Ayant remarqué que personne n'utilisait l'espace situé au-dessus de West Street – un axe de grande largeur avec dix voies de circulation –, l'agence d'architecture proposa une série de typologies résidentielles expérimentales insérées dans un immeuble de 45 étages, exprimées en sections indépendantes développées en spirale à partir du centre de l'immeuble d'origine et s'avançant progressivement au-dessus de West Street. Cette approche de type « couteau suisse » permet de profiter pleinement de l'ensoleillement naturel et de la vue, tandis que la toiture de chaque section devient un écosystème à lui seul, allant de la ferme urbaine au terrain de camping en passant par un paysage de rivières et de ruisseaux. L'idée directrice du projet est que l'immeuble peut également fournir au quartier de Greenwich South une infrastructure écologique lui permettant de s'extraire du contexte citadin et de réaliser une sorte de dialyse urbaine en filtrant et assainissant l'eau et en produisant de l'énergie qui peut être ensuite redistribuée aux habitants du quartier. Le cœur de la tour, qui relie les différentes sections par des ascenseurs, est également conçu dans ce but. L'eau de pluie est recueillie pour être utilisée dans les toilettes, pour l'irrigation, les cultures hydroponiques, la lessive et les élevages de poissons. Les eaux grises sont assainies en passant dans une zone de filtrage et de régénération verte avant d'être réutilisées pour les toilettes et l'irrigation. Les eaux noires sont assainies et recyclées dans une unité de traitement, puis acheminées au sommet de l'immeuble où elles serviront à rafraîchir les systèmes de production d'énergie. Chaleur et énergie sont produites de différentes manières : compostage, incinérateur à déchets produisant de l'électricité, chauffage géothermique, façades récupérant l'énergie solaire, éoliennes et cogénérateur. L'excédent de chaleur est utilisé pour chauffer des bains publics et un centre de yoga, ainsi que pour réchauffer le sol des terrains de camping installés sur les terrasses, qui pourront ainsi être utilisés toute l'année.

Images:
3 Elizabeth Felicella;
1, 2, 4 WORK Architecture Company

1

2

3

4

Tjep.

1 Oogst 1

Concept de maison à pièce unique procurant à son occupant nourriture, énergie, chauffage et oxygène.

2-4 Oogst 1000

Oogst 1000 Wonderland est un projet d'ensemble auto-suffisant comprenant une ferme, un restaurant, un hôtel et un parc de loisirs pour un millier de personnes. Tous les aliments servis au restaurant proviennent de la structure centrale et des champs qui la jouxtent immédiatement. Les clients de l'hôtel peuvent faire fonction de fermiers et dans ce cas sont hébergés gratuitement. Le projet s'inspire de

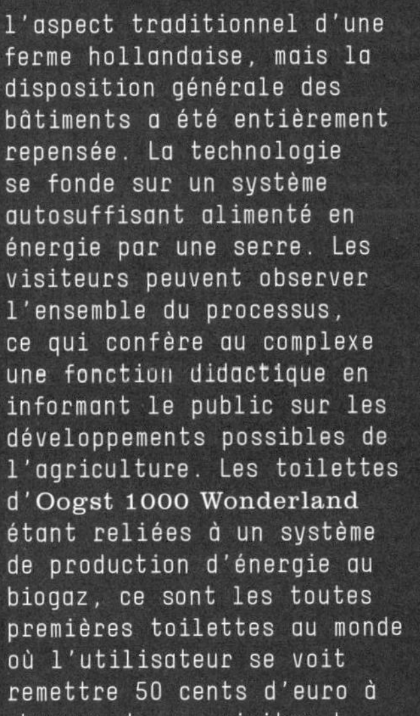

l'aspect traditionnel d'une ferme hollandaise, mais la disposition générale des bâtiments a été entièrement repensée. La technologie se fonde sur un système autosuffisant alimenté en énergie par une serre. Les visiteurs peuvent observer l'ensemble du processus, ce qui confère au complexe une fonction didactique en informant le public sur les développements possibles de l'agriculture. Les toilettes d'**Oogst 1000 Wonderland** étant reliées à un système de production d'énergie au biogaz, ce sont les toutes premières toilettes au monde où l'utilisateur se voit remettre 50 cents d'euro à chacune de ses visites !

5, 6 Amsterdam City Garden

Concept de serres à Amsterdam.

Images: Tjep.

5

6

AGENCY
Super Levee Urban Farm
Super Levee Urban Farm est un système global de quais en bordure de mer servant de surfaces cultivées et proposant un nouveau modèle de ferme urbaine. Ce système préserve l'écologie locale tout en protégeant la ville des risques liés à l'élévation du niveau des océans et aux inondations.
Images: © 2010 by AGENCY Architecture LLC

1

1 UP Projects
Spontaneous City in the Tree of Heaven
Photo: London Fieldworks, courtesy UP Projects

2 Luís Porém
APA – Abri pour oiseaux

3 Studiomama
Bird Frame
Photo: Richard Davis

2

3

1

1-4 Kieren Jones **The Chicken Project**

Avec le Chicken Project, l'artiste Kieren Jones a voulu explorer une façon écologiquement durable d'utiliser toutes les parties d'un poulet. Il a ainsi réalisé des récipients à partir d'ossements broyés, tanné la peau du poulet dont il a ensuite fait un blouson avec doublure en plumes, et transformé des os en cuillères à sel.

Photos: Kieren Jones

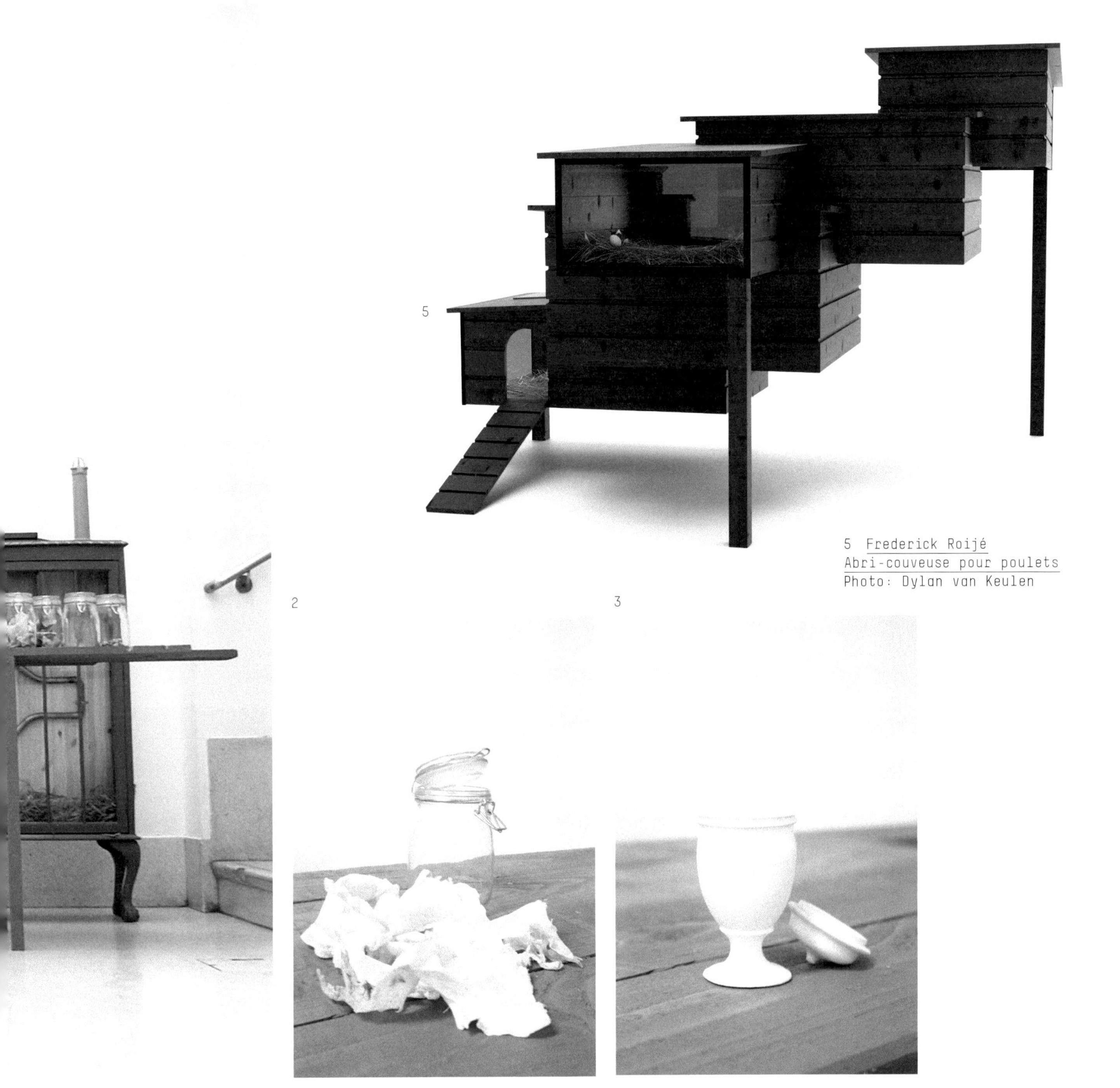

5 Frederick Roijé
Abri-couveuse pour poulets
Photo: Dylan van Keulen

2

3

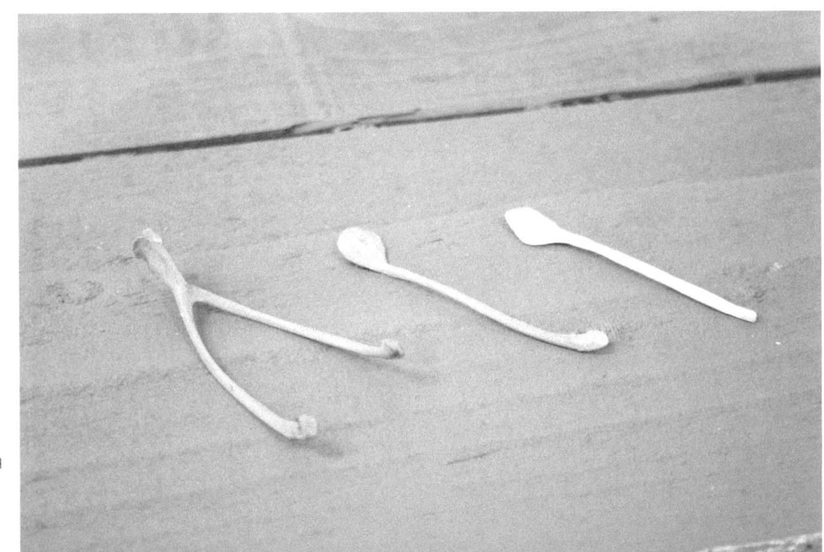

4

1

1 Arup
Insect Hotel – Beyond the Hive
2010
Photo: James Ward

2 Ants of the Prairie
Bat Tower
Ce prototype de nichoir à chauves-souris cherche à faire prendre conscience au public que ces animaux sont un élément essentiel de l'écosystème.
Photo: Albert Chao

3, 4 Tuur Van Balen Pigeon d'Or

Développé par le designer belge Tuur Van Baalen, ce projet propose d'utiliser les pigeons des villes comme vecteurs d'une biologie synthétique en environnement urbain en tentant de faire déféquer du savon aux pigeons. En modifiant le métabolisme de l'animal – en particulier les bactéries vivant dans leurs intestins –, la biologie synthétique pourrait ainsi conférer une fonctionnalité positive à des animaux souvent qualifiés de rats volants. On nourrirait les pigeons avec des bactéries – aussi inoffensives pour eux que l'est le yaourt pour les humains – spécialement conçues pour transformer leurs fèces en détergent. En cherchant à transformer les excréments des pigeons et en concevant des interfaces architecturales adaptées à ces volatiles, le projet explore les conséquences éthiques, politiques, pratiques et esthétiques de l'application du design à la biologie.

Photos: en collaboration avec James Chappell

2

3

4

Photo : © Arik Levy

Arik Levy

Giant Rock

Giant Rock, créé en 2009, fait partie d'une série intitulée Bigger than Man, dans laquelle Arik Levy transforme l'objet que nous regardons en une sorte de contrepoint spatial créant de nouveaux paramètres visuels et émotionnels. A première vue, le Giant Rock paraît simplement être ce que son intitulé désigne : un gros rocher. Mais en l'observant mieux, le spectateur réalise que la météorite juxtapose l'homme et la nature. Elle évoque ce qui n'est pas là, l'absence – thème cher à l'artiste. Ce sont les pièces manquantes qui font que ce puzzle existe. Résultat d'une croissance non géologique, le Giant Rock est à la fois dur et mou, micro et macro, un simple reflet de lumière tout autant qu'une expérience optique et sensorielle. Objet furtif par excellence, il disparaît et réapparaît tour à tour en renvoyant l'image du spectateur et de son environnement.

Nils Holger Moormann
Walden
Abri de jardin entièrement équipé.
Photos: © Jäger & Jäger

1

1 24H Architecture
Maison-refuge près du lac
Övre Gla, Suède
Photo: Boris Zeisser

2 Studio Weave
Freya's Cabin
Photo: Peter Sharpe

3 ryan lingard design
Signal Shed
Photo: Ryan Lingard

4 Rogier Martens
De Zelfbouwboomhut
Maison dans les arbres à
assembler soi-même.
Photo: AANDEBOOM

3

4

2

5 Olgga Architectes
Flake House
Photo: Fabienne Delafraye

ZENDOME.ecopod

Ecopod

L'Ecopod Boutique Retreat est nichée parmi les bouleaux et les rhododendrons du Loch Linnhe en Ecosse. Installées sur une plateforme en bois, les nacelles forment de grandes pièces lumineuses de 70 m². La modernité de l'espace non cloisonné et le classicisme du mobilier contrastent avec des décorations plus kitsch comme les traditionnelles ramures de cerfs ou les peaux de mouton.

Photos: Jim Milligan

3

1 Garrett Finney
Cricket Trailer
Photo: David Bates

2, 3 import.export
Architecture
Urban Camping
Concept de tour abritant
un camping urbain.
Photos: import.export
Architecture

The Grand Daddy
Airstream Penthouse
Trailer Park
Parc à caravanes sur le toit
de l'hôtel **Grand Daddy**
au Cap, en Afrique du Sud.

Kevin van Braak

Caravan 02

Dépliée, la Caravan 02 devient un mini-jardin artificiel avec animaux empaillés, faux gazon, fleurs et arbres en tissu et diffusion sonore de chants d'oiseaux, sans oublier le barbecue.

Pushak Moss Your City

Le studio d'architecture norvégien Pushak a conçu pour l'Architecture Foundation une installation composée d'un spectaculaire paysage en mousse. L'objectif consistait à imaginer un lieu où les participants et visiteurs du festival pourraient se rassembler et débattre, en explorant la relation entre l'architecture contemporaine et les paysages et ressources naturelles de la Norvège, tout en s'adaptant aux conditions locales de Londres. Moss Your City s'inspire du paysage norvégien et fait référence à la Bankside Urban Forest, un organisme qui vise à améliorer les espaces publics – rues, trottoirs, places et parcs – dans le quartier de Bankside. Pour Moss Your City, Pushak s'est inspiré des actions de guérilla verte – comme les graffitis en mousse – et de l'idée plus générale qui consiste à verdir les surfaces sans âme de la ville afin de mettre en valeur de façon informelle le concept de forêt et de lui conférer une place plus importante dans l'esprit des gens.

Photo: Guy Archard

3

1, 2 Makoto Azuma
Time of Moss
Mousse poussant sur de la fibre biodégradable Terramac, présentée à la Milan Design Week 2009.
Photos: Shiinoki Shunsuke

3 i29
Home 06
Résidence privée à Amsterdam.
Photo: i29 | interior architects

4

4 Patrick Blanc
Centre Commercial, Les Passages, Boulogne-Billancourt
Photo: Patrick Blanc

1-3 Studio Job
Bavaria
Le **Bavaria Bench** et le **Bavaria Mirror** font partie d'une collection de mobilier fabriqué en bois de rose d'Inde et décoré de scènes de ferme réalisées en marqueterie découpée au laser.
Photos : R. Kot

4 Meritalia
Montanara
Sofa conçu par Gaetano Pesce.
Photo : Meritalia Spa

1

2

4

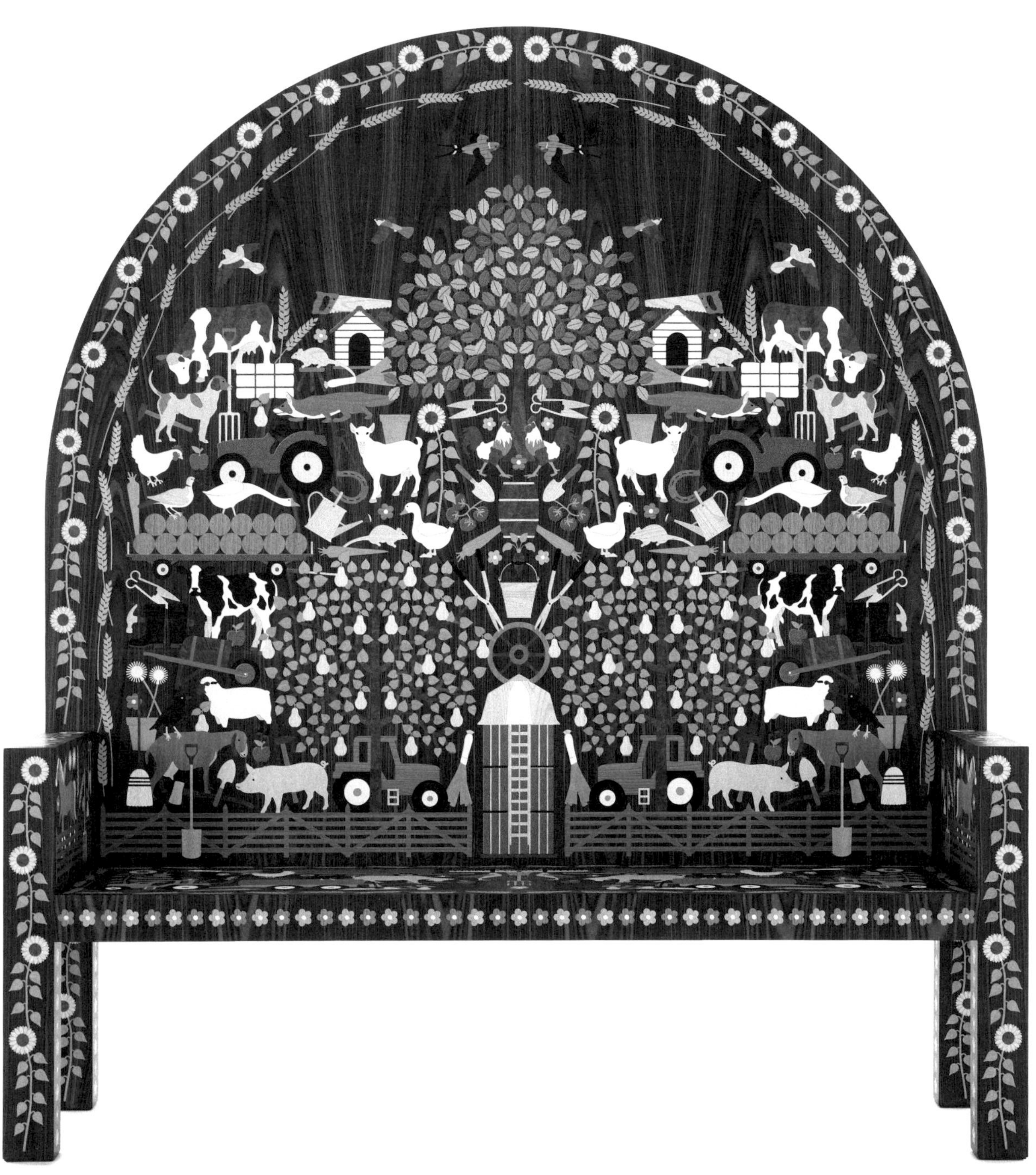

3

Heatherwick Studio

Pavillon britannique de l'Expo Shanghai 2010

Pour créer le pavillon britannique de l'Exposition universelle de Shanghai 2010, Heatherwick Studio a adopté une approche en phase avec le thème de l'exposition – « Une ville meilleure, une vie meilleure » – tout en se distinguant de la profusion attendue de pavillons axés autour de la technologie, avec force contenu audiovisuel sur écran, projections et haut-parleurs. L'agence d'architecture a donc développé l'idée d'un pavillon explorant les relations entre la nature et la ville. Plutôt que d'envisager, de façon convenue, le projet comme une publicité pour le Royaume-Uni, elle a apporté avec cette thématique une véritable contribution au thème de l'exposition. Londres est en effet, par rapport à sa taille, la ville la plus verte du monde. C'est en Angleterre qu'a vu jour le tout premier parc public, et c'est là également que l'on trouve la plus célèbre institution botanique de la planète : les Royal Botanical Gardens de Kew. Heatherwick Studio a donc eu l'idée de s'assurer le partenariat de la Millennium Seed Bank de Kew qui s'est fixé pour mission de récolter d'ici 2020 les graines de 25 % des espèces de plantes de toute la planète. Le projet s'est finalement concentré autour de deux éléments interconnectés : une Cathédrale de graines et un traitement paysager du site de 6 000 m². Formée de 60 000 tubes transparents en fibre optique de 7,5 mètres de long contenant chacun une ou plusieurs graines à son extrémité, la Cathédrale de graines dresse ses 20 mètres de hauteur au centre du pavillon. Pendant la journée, les tubes laissent pénétrer la lumière du jour et illuminent l'intérieur. La nuit, de petites sources lumineuses insérées dans chaque tube font luire l'ensemble de la structure. Lorsqu'il y a du vent, le bâtiment et ses « poils » optiques ondulent doucement en créant un effet dynamique. Les Chinois ont surnommé la Cathédrale de graines « Pu Gong Ying », qui signifie « pissenlit ». Après l'exposition, tout comme les graines de pissenlit sont disséminées par le vent, les 60 000 poils optiques de la cathédrale renfermant chacun l'immense potentiel de la vie ont été distribués en Chine et au Royaume-Uni à des centaines d'écoles.

Photos: Iwan Baan

Casagrande Laboratory

Ruin Academy

Installée à Taipei, la Ruin Academy est un centre de recherche architecturale indépendant créé par le laboratoire finlandais Casagrande et la fondation taïwanaise JUT pour les arts et l'architecture. Elle organise des ateliers et des cours pour différentes universités taïwanaises et internationales, dont le département de sociologie de la National Taiwan University, le département d'architecture de la Tamkang University, le centre des technologies durables de l'université Aalto et le département d'art environnemental de l'université des arts et du design d'Helsinki. Les travaux de recherche et de conception mêlent l'architecture, le design urbain, l'art environnemental et d'autres disciplines artistiques et scientifiques dans le cadre général de l'environnement humain bâti. La Ruin Academy occupe un immeuble d'habitation abandonné de 5 étages dans le centre de Taipei. Toutes les fenêtres et cloisons intérieures ont été supprimées afin de faire pousser du bambou et des légumes à l'intérieur. Des ouvertures d'une quinzaine de centimètres de diamètre ont été percées dans les murs et les plafonds afin de laisser pénétrer la pluie. Professeurs et étudiants dorment et travaillent dans des dortoirs en acajou, et un sauna collectif est mis à leur disposition au cinquième étage.

Photos: AdDa

Casagrande Laboratory
Ruin Academy
Photos: AdDa

Adi Zaffran Weisler
RAWtation
Collection de tables et de chaises en bois et plastique rotomoulé.
Photo: Oded Antman

Naomi Reis
Florescent (Out of the Ruins)
Installation.

page ci-contre
Weeds
Peinture extraite de la série Vertical Gardens, qui présente des gratte-ciel modernistes ornés de végétaux.
Photo: Etienne Frossard Photography

1

2

1, 2 Nick Bastis
Nature Always Wins/
Vegetated Wall
Photo: Giacomo Fortunato

3 Pour les Alpes
« Chapütschin » collection
Crystal
Jardinière en bois inspirée
des cristaux de quartz.
Photo: Pour les Alpes

4 Joe Paine
Kreep Planter
Inspiré des plantes rampantes, le **Kreep Planter** peut être agrandi, sa forme modifiée, et il s'adapte au mur auquel on veut le fixer. Les petits pots sont destinés à recevoir des boutures qui peuvent ensuite être plantées dans les grands pots.

MATTEO CIBIC STUDIO
5 #03
Terrarium.
6 Domsai
Terrariums.
Photo: Lorenzo Vitturi

3

4

5

6

1

1 woollypocket
Jardinières souples, micro-poreuses et modulaires fabriquées à partir de bouteilles en plastique recyclées.
Photo: Jason Eric Hardwick

2 FULGURO | Yves Fidalgo + Cédric Decroux
Volet vert
Jardin suspendu qui peut faire fonction de volet lorsque les plantes ont atteint leur plein développement.
Photo: Emilie Müller et Yann Gross

3 BACSAC
Sacs-jardinières légers réalisés dans un géotextile recyclable à double épaisseur qui maintient l'équilibre adéquat entre l'air, l'eau et le terreau.

4, 5 Greenmeme
Live Within Skin
Photos: Freya Bardell

2

3

5

4

Furnibloom
Regards from Iceland
Photos: MBL/Frikki

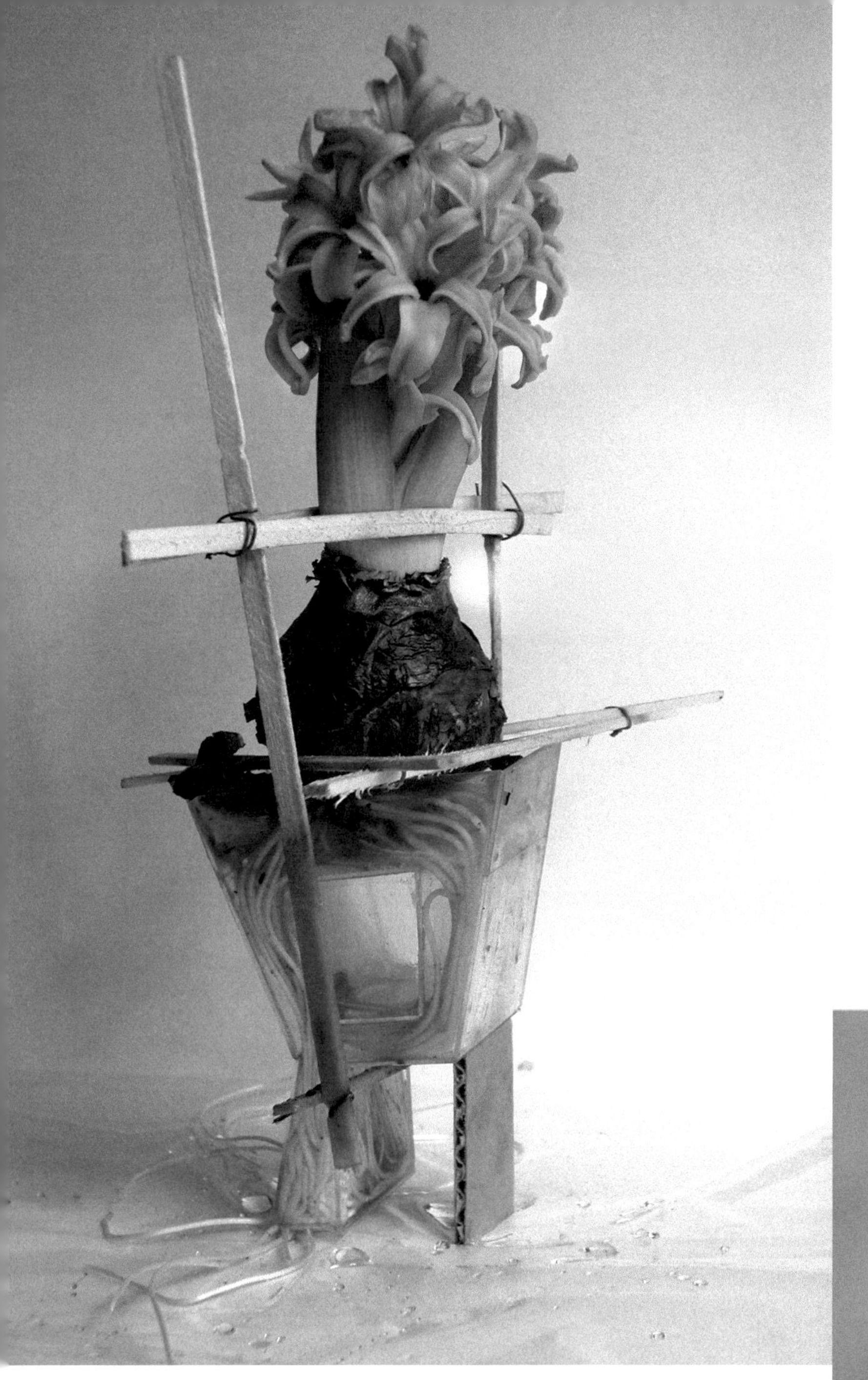

Kai Linke
Roots
Série d'œuvres mettant en scène l'intervention humaine dans la croissance des plantes.
Photos: Kai Linke

1

2

3

4

5

Studio Makkink & Bey
1, 2 Gardening Bench
Siège d'extérieur éphémère fait de déchets de tonte compactés qui se décomposeront progressivement jusqu'à se fondre dans le sol.
Photo: Marsel Loermans

3 Tree Trunk Bench
Photo: Marsel Loermans

4, 5 Sandbench Bulldozer
Bulldozer sculpteur de bancs en sable.
Photos: Studio Makkink & Bey assisté par Eric Klarenbeek

1 Paul Loebach
Great Camp Collection
Pour sa collection **Great Camp**, **Paul Loebach** s'est inspiré de l'artisanat qui s'est développé à la fin du XIXe siècle dans la chaîne des Adirondacks qui traverse l'Etat de New York. L'aspect rustique est obtenu en utilisant des techniques de façonnage assisté par ordinateur spécialement mises au point pour ce projet et capables de produire des formes moulurées étonnamment variées. Cette technologie sculpte numériquement le bois en éléments rappelant les branches et bûches brutes. Les différentes parties sont ensuite assemblées selon des méthodes traditionnelles pour former une commode, une crédence, un fauteuil ou encore un portemanteau d'une qualité et d'une finition parfaites.
Photo: Jeremy Frechette

2 Owl Project
Log1k
le **Log1k** est un séquenceur-sampleur fonctionnant sur batterie qui comporte des générateurs de signaux, des entrées micro et huit sorties audio. Un tube fluorescent de 240 volts permet d'obtenir un panneau lumineux semblable à un écran qui génère également une interférence électrique. Le collectif d'artistes **Owl Project** a conçu et construit **Log1k** afin de produire sa propre musique électronique en combinant champs et signaux électromagnétiques dans le but d'obtenir des rythmes complexes et du son ambiant.
Photo: Harriet Hall

2

Steven Burke
Poor Little Trees

THE PASSION OF OUR

Shinji Turner-Yamamoto **Global Tree Project: Hanging Garden**

Pour ce projet de jardin suspendu, Turner-Yamamoto a eu l'idée d'un arbre vivant soutenu par un grand arbre mort posé tête en bas. Les systèmes radiculaires entrelacés des arbres arrachés créaient un jardin suspendu formant comme une croix au centre de l'église dans laquelle l'œuvre était présentée.

Photo: Shinji Turner-Yamamoto

Mikala Dwyer
Hanging Smoking Garden
Photos: Jens Ziehe, courtesy
Hamish Morrison Galerie,
© VG Bild-Kunst, Bonn 2010

Makoto Azuma
Botanical Sculpture #1
Assemblage
Tokyo, 2008
Photos: Shiinoki Shunsuke

Janina Loeve
Divers, Bouquets à manger vivants.
Photos : © Studio Janina Loeve

Nicole Dextras
Camellia Countessa
Les Robes végétales de l'artiste **Nicole Dextras** sont fabriquées à partir de plantes et de fleurs choisies pour leur ressemblance avec les fraises et jabots de jadis et leur capacité à rendre le plissé du tissu. La robe **Camellia Countessa** s'inspire des robes à panier de la période baroque. Pour la structure de ces robes, **Dextras** a employé les mêmes baguettes de saule qu'on utilisait à l'époque.
Photo: Nicole Dextras

Makoto Azuma
Fashion in Nature
Photo: Shiinoki Shunsuke

1

2

3

4

Makoto Azuma
1 I ♥ 湯
Naoshima, Kagawa, Japon, 2009

2 Bridge of Plants
Ark Hills, Tokyo, 2009

3 Shiki2
NRW Forum, Düsseldorf,
Allemagne, 2008

4 Shiki1
Fukuoka, Japon, 2009

Photos: Shiinoki Shunsuke

1

2

3

Andre Woodward
1 Psychocandy
Sculpture composée de matériel audio, baladeurs MP3 désossés, amplificateurs, haut-parleurs, bonsaïs, pompes à eau, temporisateurs, lampes de croissance et acier.

2 Dual Arboretum
Sculptures faites à partir de plaques d'asphalte extraites de nids de poule et de rues défoncées de Californie du Sud. Les plaques de goudron renfermant des dispositifs audio-électroniques sont utilisées comme présentoirs à bonsaïs. Les sons émis sont des enregistrements réalisés sur les lieux où ont été récupérées les plaques.

3 Never Understand Me/ It's So Hard
Pour cette œuvre, un ficus et un genévrier ont été mis en terre et enfermés dans des cubes de ciment dans lesquels ils pourront continuer à pousser jusqu'à, au bout d'un certain temps, faire éclater les cubes.

Photos: Andre Woodward

1

3

Brenna Murphy
Installations reproduisant les représentations mentales de la structure du temps et de l'espace.

1 Timer

2 TimeTable

3 Food4Thought

4 GroundWork

2

4

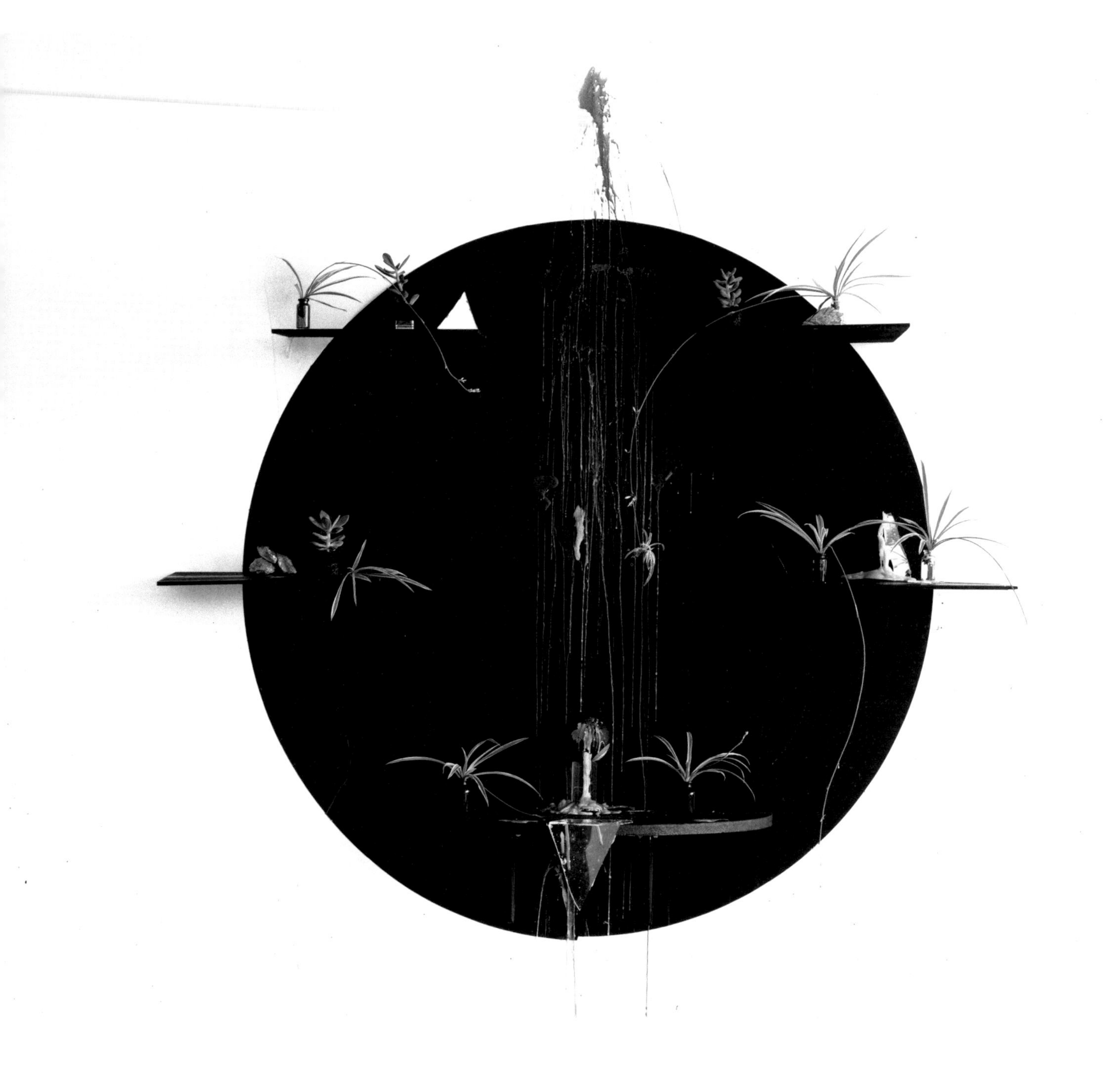

Heidi Norton
Channeling
(Mini-Chlorophytum comosum)

page ci-contre Frank Bruggeman
1 Catalpa (Solitaire Is the Only Game in Town)
Forêts, champs de maïs, pâturages et, au milieu, un grand chêne solitaire : on ne saurait mieux résumer le paysage typique de la province hollandaise du Nord-Brabant. L'artiste **Frank Bruggeman** place un catalpa exotique au beau milieu de ce paysage. Originaire d'Asie orientale, cet arbre est aujourd'hui très courant dans les jardins hollandais, mais il est souvent taillé en boule, alors que le spécimen de Bruggeman poussera en gardant sa forme naturelle.

2 Natureobject #1
Installation mêlant plantes locales et plantes exotiques. Photo: collection Museum Boijmans Van Beuningen, Rotterdam

3 Local Botanica
Réalisée en coopération avec VU Hortus Amsterdam, cette installation explore la diversité des espèces végétales de la région.

2

3

1

2

1, 2 Frank Bruggeman
Flux Flying Flower Show
Installation composée de quinze compositions florales installées dans un studio de photographe. Les visiteurs du festival Flux/S pouvaient se faire photographier à côté d'un bouquet de fleurs de fin d'été.

3 Ernst van der Hoeven
Flux Flying Flower Show, Pumpkin Arena
L'étal des cucurbitacées.
Photo: Ernst van der Hoeven

3

1

Byggstudio

Vintage Plant Shop

En mai 2008, Markus Bergström et Simon Jones ont ouvert une boutique temporaire, Vintage Plant Shop, **dans le quartier de Hornstull à Stockholm. La boutique fonctionnait comme un marché aux plantes où les visiteurs avaient la possibilité d'offrir, échanger ou acheter une Vintage Plant. On pouvait également consulter la Vintage Plant Archive, constituée de fiches illustrées de photos et comportant des informations sur l'origine des plantes. Les céramistes Linus Ersson et Andrea Djerf furent invités à créer des pots. Tout au long de l'été, quelque 150 plantes furent offertes à la boutique pour mener à bien le projet, et toutes trouvèrent de nouveaux acquéreurs.**

Photos:
1 Simon Jones;
autres photos Byggstudio

Vintage Plant is a network of plant stories.
Vintage Plant™ Archive

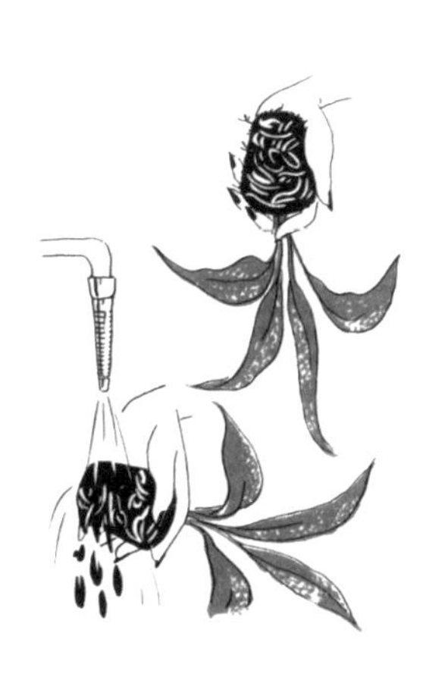

www.vintageplant.net

www.vintageplant.net

breadedEscalope design studio

Grow to Go

Le studio autrichien breadedEscalope a créé une nouvelle identité pour le fleuriste viennois Wildwuchs en déclinant jusque dans le packaging le concept de fast-food. Les clients emportent leurs graines et mélanges de terre dans des boîtes à hamburgers ou des gobelets en carton.

Photo: breadedEscalope design studio

Scheltens & Abbenes Studio
Bouquet IX
2008, 100 cm × 120 cm.

1

1 Baker Creek Heirloom Seeds
Sachets de graines
Photo: Jere Gettle

2 Matchstick Garden
Pour faire pousser des fleurs, il suffit de mettre en terre ces allumettes dont l'embout contient un mélange de graines.

3 COMMONStudio
Greenaid – Seedbomb Vending
COMMONStudio met les actions de guérilla horticole à portée de tous en reprenant, avec **Greenaid**, le système éprouvé du distributeur de bonbons. Jusqu'à présent, **COMMONStudio** a installé 25 machines de ce type aux Etats-Unis, dans des quartiers ne possédant pas ou peu d'espaces verts. **Greenaid** est tout à la fois une campagne interactive de sensibilisation du public, une méthode lucrative de collecte de fonds et un exemple à suivre pour ceux qui mènent des actions militantes à petite échelle en direction des habitants d'un quartier afin d'aborder les problèmes liés au cadre de vie et éventuellement d'y remédier.
Photo: Daniel Phillips

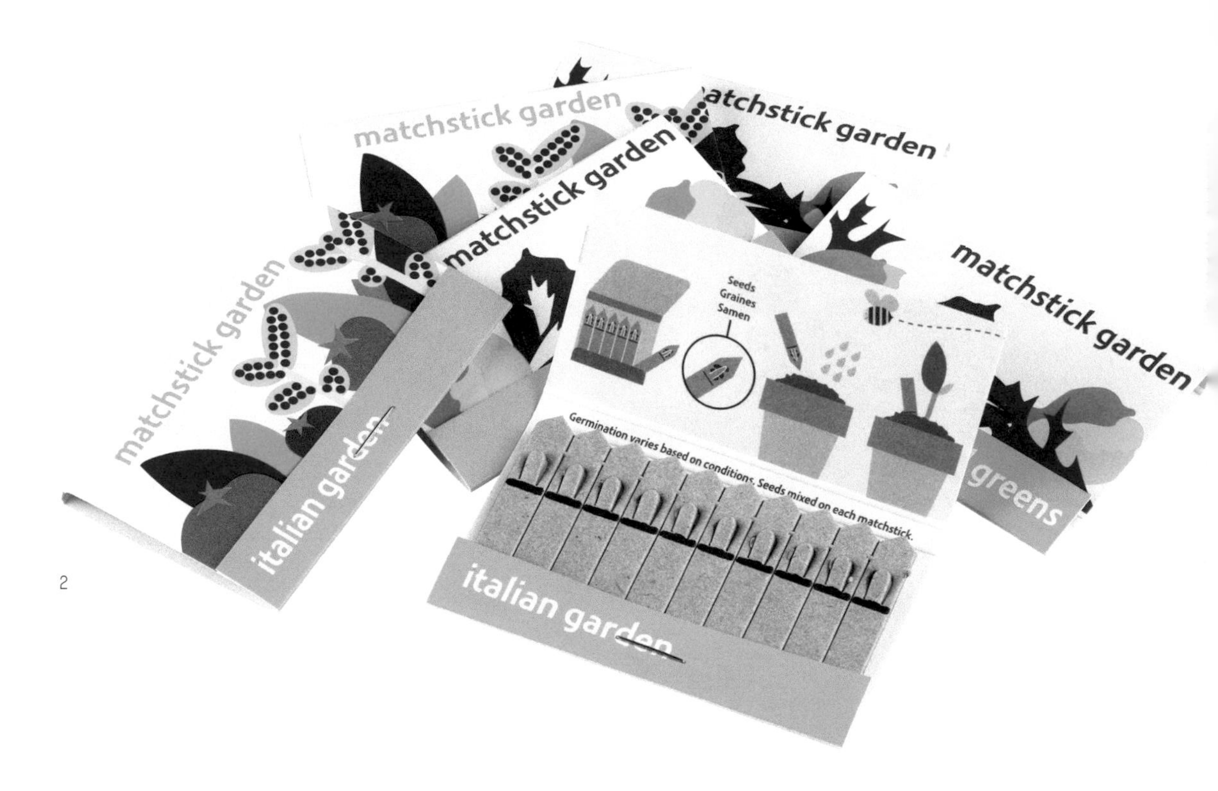

2

3

BOMBES À GRAINES

Les bombes à graines ont fait de plus en plus parler d'elles au cours des dernières années, mais les premiers exemples de « plantation aérienne » remontent aux années 1930, lorsqu'on utilisa des avions pour disséminer des graines sur des versants montagneux inaccessibles d'Hawaï qui avaient été ravagés par des incendies. Composées d'argile, de compost, de graines et d'eau pour agréger le tout, ces bombes à graines sont devenues aujourd'hui les munitions de prédilection des guérilleros horticoles qui luttent contre l'abandon des espaces publics. Elles sont larguées anonymement sur des sites urbains abandonnés et souvent difficiles d'accès afin de les transformer en lieux agréables à l'œil dont on aura envie de s'occuper.

3

4

1-3 Kabloom
Seedbom
Photos: Susan Castillo

4 THE END.
Guerilla Gärtner
Photo: © Alva Unger

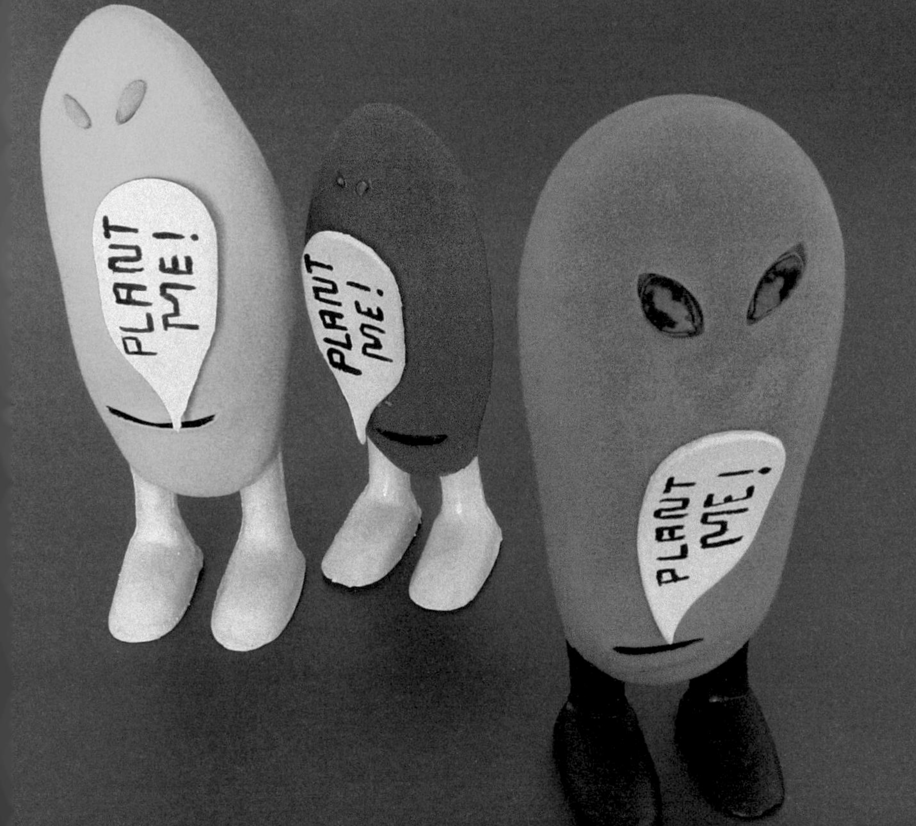

5

5 Tony Minh Nguyen
Flower Grenade
Photo: Snowhome

6 Martí Guixé
Plant-me Pets
Personnages en latex naturel avec des graines de légumineuses à la place des yeux.
Photo: Imagekontainer/Knölke

6

1

5

6

2

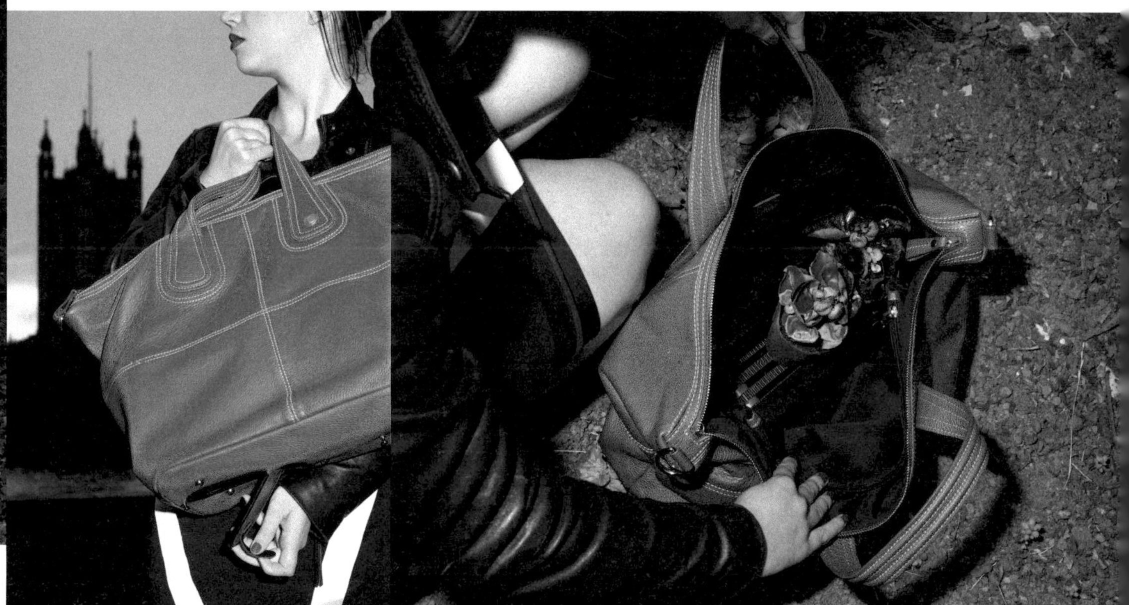

3

4

1-4 2-Round Tactical Gravity Planter & Mk II Agent Deployed Field Auger
Le sac à main 2-Round Tactical Gravity Planter fonctionne en duo avec la mallette MK II Agent Deployed Field Auger. La mallette permet de creuser des trous dans la terre. Le sac à main en cuir renferme quant à lui un petit tapis roulant actionné par un moteur. Lorsque l'utilisateur appuie sur le bouton placé à l'extérieur du sac, le tapis se met en marche et une plante (placée dans un pot biodégradable) tombe, par le fond du sac, dans le trou creusé par la mallette.

5, 6 Precision Bombing Device I
Dispositif conçu pour projeter des graines à longue distance, y compris par-dessus des palissades. Dissimulé sous l'aspect d'un banal appareil photo, le Device I renferme un mécanisme capable de projeter de petites cartouches garnies de graines à des distances de dix ou quinze mètres.

Vanessa Harden

The Subversive Gardener

La designer Vanessa Harden s'est fait une réputation dans les milieux de la guérilla horticole en concevant une série de gadgets dignes de James Bond. Les guérilleros horticoles se rencontrent secrètement la nuit afin de planter des fleurs, des buissons et des légumes dans des espaces urbains abandonnés. Bien que leurs actions soient inoffensives, les autorités continuent à les considérer comme passibles de poursuites. Pour son projet Subversive Gardener, Vanessa Harden a mis au point plusieurs méthodes pour dissimuler l'attirail du planteur illégal dans des accessoires de la vie courante en s'inspirant du matériel militaire et des gadgets pour espions. Ainsi, le design de ses produits permet aux « jardiniers subversifs » de perpétrer leurs attaques à n'importe quel moment de leur vie quotidienne.

Photos: Roel Paredaens

1, 2 Guerrilla Gardening

Lavender Field

Coussins garnis de lavande récoltée sur le Lavender Field, un terre-plein bordant Westminster Bridge Road à Londres.

Photos: Richard Reynolds

2

1

3 Filthy Luker
Paranoid Bush
Photo: Filthy Luker

4 Sandrine Estrade Boulet
Pom-Pom Girl
Photo: Sandrine Estrade Boulet

3

4

1

ROA
1 Ecureuil à Williamsburg
Photo de l'artiste

2 Sans titre
Photo de l'artiste

3 Lapin lenticulaire
Photo RomanyGW

2

3

Sebastian Errazuris **The Day Cows Fly**

Cette vache a été sauvée de l'abattoir et parquée dans un enclos aménagé sur le toit d'un immeuble de dix étages dans le centre de Santiago du Chili.

1

2

Buero fuer Gestaltung

Kuhwatching Berlin

Pour le projet Kuhwatching (« observation des vaches »), le collectif de designers Buero fuer Gestaltung a créé un enclos provisoire en plein Berlin. Son objectif était d'illustrer l'éloignement croissant entre agriculture et consommateurs, tout en procurant aux citadins le plaisir de se sentir comme à la campagne. Pendant tout un week-end, la ferme a attiré plus de 3 000 visiteurs qui ont pu observer à loisir les quatre vaches : Lothar, Tilda, Timm et Tina.

Photos:
1 Stephan Vens, triggerhappyproductions;
2 Sebastian Donath

3 NEOZOON
Le Goût des bêtes
Recyclage de manteaux
de fourrure, Paris.
Photo: NEOZOON

4 Mosstika
Hungarian Cattle Goes Green

NEOZOON
1 Cerfs

2 Renard

Photos : NEOZOON

1

Mosstika

Edina Tokodi et József Vályi-Tóth, qui ont créé le studio Mosstika, ont commencé par utiliser du papier fait main pour créer des installations plastiques intérieures, puis ont enrichi cette technique en y incorporant des matières végétales vivantes, ce qui leur a donné l'idée de créer dans New York une série d'espaces verts.

2

3

3 Rooster

4

4 PanoptICONS

Considérant comme un fléau la multiplication des caméras de surveillance dans la ville d'Utrecht, le duo d'artistes néerlandais Helden dénonce cette invasion en disposant des pigeons équipés de caméras dans différents lieux du centre ville.

Photo: Thomas voor 't Hekke

5

5, 6 Luzinterruptus Urban Nests

Oiseaux multicolores installés dans des « nids urbains » sur des échafaudages à Madrid.

Photos: Gustavo Sanabria

6

EASY POUR

ANNA GARFORTH

Head Gardner
Une série de têtes totémiques à la chevelure végétale, fabriquées à partir de briques de lait, ont été créées pour veiller sur la ville. La plupart ont été dérobées.

Photos: Anna Garforth

L'artiste londonienne Anna Garforth travaille sur des supports naturels ou recyclés. Ses œuvres ont été présentées dans divers événements publics, projets de quartier, campagnes d'information, publications et expositions. Dotée d'une solide formation en design et illustration, sa main verte lui permet de façonner la mousse en élégants lettrages, l'écorce en animaux et les déchets en art typographique.

1

If this
is my day of harvest,
in what fields have I sown
my seeds?

2

Kids climbing
the walls?
Help them bloom
power
imate Cops

3

1, 2 Prophet
Anna Garforth et Eleanor Stevens ont été invitées à créer une œuvre pour l'exposition Over Design Over organisée à la Rocca Paolina de Pérouse en Italie, qui réunissait 44 autres artistes connus dans le monde entier. Cette inscription en mousse a été réalisée à partir de l'écriture manuscrite d'Eleanor Stevens. Pour ce projet, les deux artistes ont choisi une citation d'un poème de Khalil Gibran, **Le Prophète** : « Si ce jour est celui de ma récolte, dans quels champs ai-je semé le grain ? »

3 Watch Them Bloom

4, 5 Leaf Type

Sean Martindale
Public PARK(ing)
Photo: Sean Martindale

PARK(ing) Day
Park(ing) Day est un événement mondial annuel où citoyens, artistes et activistes s'emploient ensemble à transformer les places de parking matérialisées au sol en mini-parcs publics. Le collectif d'artistes Rebar a lancé l'événement en 2005 en procédant à la première installation Park(ing) à San Francisco.
Photo : Andrea Scher/Rebar

Eric Cheung & Sean Martindale

Poster Pocket Plants

Jardinières aménagées entre diverses couches superposées d'affiches publicitaires collées illégalement à Toronto.

Photos: Sean Martindale

1

2

Posterchild
1, 2 ~~Flyer~~Planterboxes!

3 Mario Planter Boxes – 3D Versions

Photos: Posterchild

3

1

2

4

1 THE END.
Guerilla Gärtner
Photo: © Alva Unger

2, 3 Luzinterruptus
Packaged Vertical Garden
Photos: Gustavo Sanabria

4 Mosstika
Living Wall Installation

5-7 Sean Martindale
Green P Pillar Planters
Photos: Sean Martindale

5

6

7

1

2

3

1, 2 Pete Dungey

Pothole Gardens

Avec ces « jardins nids de poule », Pete Dungey propose une série d'installations publiques autour du problème de la dégradation du revêtement des voies publiques britanniques.

Photos: © Pete Dungey

3 BACSAC

NL Architects
Moving Forest

Oliver Bishop-Young **Urban Plant Pot**

Urban Plant Pot faisait partie d'un projet visant à transformer des bennes à ordures en espaces alternatifs susceptibles d'améliorer l'environnement urbain. La plupart des espaces urbains étant pavés ou goudronnés, il est difficile de trouver des surfaces où faire pousser des plantes. Le concept développé par Oliver Bishop évoque ce déséquilibre en ménageant de petits espaces naturels en pleine rue.

Photos: Tomas Valenzuela, © Oliver Bishop-Young

Studio Atuppertu

Urban Buds

Urban Buds est un concept de petits jardins potagers mobiles qui peuvent être installés facilement sur des surfaces urbaines inutilisées. Les jardinières pourraient être louées par les citadins pour y cultiver leurs légumes. Les sacs sont fabriqués en Naturtherm et en Recycletherm, deux produits développés par Manifattura Maiano qui permettent de garder l'humidité tout en favorisant la croissance verticale des racines.

Photos: Shiro Inoue

Tattfoo Tan
Mobile Garden
Photo: Ensze Tan

SALEM
1-800-44-SALEM

MOBILE
GARDEN

SALEM
1-800-44-SALEM
plant
here.
plant
here.

page ci-contre Tattfoo Tan

Mobile Garden

Ce jardin mobile vise à transformer des objets trouvés en jardinières afin d'inciter les gens à respecter l'environnement et à cultiver leur propre nourriture, notamment en zone urbaine.

Photos : Ensze Tan

Wildwuchs

Lors d'une manifestation en faveur de la préservation de la biodiversité sur la planète, cent personnes ont défilé dans les rues du quartier berlinois de Kreuzberg en poussant des caddies garnis de différentes espèces de plantes.

Photos :
1 Marco Clausen ;
2-4 Sabine Beyerle & David Reuter

1

2

3

4

1

BANKSIDE
BIRTHDAY
BARROWS
PARADE
GOD SAVE THE WEEDS
MODERN
TATE

2

3

4

Coloco
1-3 Bankside Birthday Barrows Parade
Un défilé de brouettes a été organisé en 2010 dans les parcs et les espaces publics londoniens afin de commémorer le dixième anniversaire de la Tate Modern et du Bankside Open Spaces Trust, qui gère de petits parcs et jardins dans le quartier de Southpark à Londres.
Photos: © Studio Public/ Benoît Lorent

4 Fertile Mobile
Transport d'un néflier.
Photo: Coloco

Alain Delorme
Totem #8
Photo: © Alain Delorme,
courtesy Magda Danysz Gallery

INDEX

0-9

B

G

I

L

M

N

Studio Job
Job Smeets, Nynke Tynagel
Belgique
www.studiojob.be
Pages 150, 151 Bavaria
collection: Moss, New York,
exposé à: Design Miami, Miami;
Studio Job Gallery, Anvers

Studio Makkink & Bey
Pays-Bas
www.studiomakkinkbey.nl
Pages 98, 99 The Bell Garden
Page 166 Gardening Bench;
Tree Trunk Bench
Page 167 Sandbench Bulldozer

Studio Toogood
Grande-Bretagne
www.studiotoogood.com
Pages 68, 69 Corn Craft
Pages 70, 71 Super Natural

Studio Weave
Grande-Bretagne
www.studioweave.com
Page 140 Freya's Cabin

Studiomama
Nina Tolstrup
Grande-Bretagne
www.studiomama.com
Page 82 The Mobile Outdoor
Kitchen
Page 133 Bird Frame

T

Tattfoo Tan
Etats-Unis
www.tattfoo.com
Pages 223, 224 Mobile Garden

THE END.
Alva Unger
Autriche
www.theend.at
Page 197 Guerilla Gärtner
Page 216 Guerilla Gärtner

The Grand Daddy
Afrique du Sud
granddaddy.co.za
Page 144 Airstream Penthouse
Trailer Park

The Union Street Urban Orchard
Grande-Bretagne
www.unionstreetorchard.org.uk;
www.architecturefoundation.
org.uk
Pages 6-9 The Union Street
Urban Orchard

Tjep.
Pays-Bas
www.tjep.com
Page 128 Oogst 1
Page 129 Oogst 1000; Amsterdam
City Garden

Tony Minh Nguyen
Etats-Unis
www.minh-t.com
Page 197 Flower Grenade

Triptyque
Brésil
www.triptyque.com
Page 117 Harmonia 57

Turf Design
Australie
www.turfdesign.com
Pages 62, 63 Salad Bar
avec Taylor Thomson Whitting,
Elmich Australia, Andreasens
Green, Lynda Roberts, Bailey's
Joinery, RPS Contracting

Tuur Van Balen
Grande-Bretagne
www.tuurvanbalen.com
Pages 136, 137 Pigeon d'Or
Financé par l'Autorité flamande
- Agence pour les Arts

U

UP Projects
Grande-Bretagne
upprojects.com
Page 79 Mobile Picnic Pavilion
par Francis Thorburn
Page 132 Spontaneous City
in the Tree of Heaven
par London Fieldworks

V

Vanessa Harden
Grande-Bretagne
www.vanessaharden.com
Pages 198, 199 The Subversive
Gardener

Victory Gardens
Etats-Unis
www.sfvictorygardens.org
Page 38 Victory Gardens

Virginia Echeverria Whipple
Chili
virginiaecheverria.com
Page 43 Sans titre

What if: projects Ltd.
Grande-Bretagne
what-if.info
Page 14 Vacant Lot
Développé en partenariat avec
Groundworks London.

Wildwuchs
Beyreut (Sabine Beyerle,
David Reuter)
Allemagne
web.me.com/davidreuter/
Biodiversität/home.html
Page 225 Wildwuchs

Windowfarms
Britta Riley
Etats-Unis
windowfarms.org
Page 97 Windowfarms
en collaboration avec
les 15,000+ membres de
our.windowfarms.org

woollypocket
Miguel Nelson
Etats-Unis
www.woollypocket.com
Page 162 woollypocket

WORK Architecture Company
Etats-Unis
www.work.ac
Pages 22-24 Public Farm 1
Pages 126, 127 Locavore
Fantasia; Plug Out

Z

ZENDOME.ecopod
Nicola Meekin, Jim Milligan
Grande-Bretagne
domesweetdome.co.uk
Page 142 Ecopod
avec Designers Anonymous

MA VILLE EN VERT

Pour un retour de la nature au cœur de la cité

Sous la direction de Robert Klanten, Sven Ehmann, et Kitty Bolhöfer
Textes de Kitty Bolhöfer

Couverture : Jonas Herfurth pour Gestalten
Photos de couverture (de haut en bas) : Alain Delorme, Shiinoki Shunsuke, Anne Hamersky, Brooklyn Grange, Mike Massaro, Philips Design – Food Probes, Sandrine Estrade Boulet
Illustrations de couverture : Sophia Martineck

Design graphique : Jonas Herfurth pour Gestalten

Polices : Lisbon de Monotype Imaging ; Clarendon pour Linotype ; T-Star Mono Round pour Mika Mischler
Fonderie : www.gestalten.com/fonts

Responsable projet :
Elisabeth Honerla pour Gestalten
Responsable fabrication :
Janine Milstrey pour Gestalten

L'édition originale de cet ouvrage a paru sous le titre My Green City – Back to Nature with Attitude and Style chez Gestalten, Berlin.

Traduit de l'anglais par Gilles Berton

Cet ouvrage mis en pages par Thames & Hudson a été reproduit et achevé d'imprimer en août 2011 par l'imprimerie Livonia pour les Editions Thames & Hudson.

Pour plus d'informations, visitez notre site : www.thameshudson.fr

Dépôt légal : 4e trimestre 2011
ISBN : 978-2-87811-378-5
Imprimé en Lettonie

Ce livre est imprimé sur papier issu de Forêts bien gérées, certifiées FSC®.

Page 60 Fruit City

Page 194 Sachets de graines

Page 59 Design publicitaire du Johnson's Backyard Garden

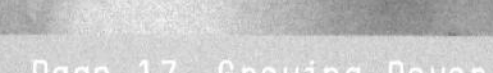

Page 17 Growing Power

Page 73 BQ Interactive Dinner

Page 13 Prinzessinnengärten

Page 24 Public Farm 1

Page 160 « Chapütschin », collection Crystal

Page 39 Euralille

Page 182 Psychocandy

Page 149 Home 06

Page 217 Packaged Vertical Garden

Page 71 Super Natural

Page 8 The Union Street Urban Orchard

Page 162 woollypocket